KB103689

김지유 낭독극 대본집

기쁨의 발자국

김지유 낭독극 대본집
기쁨의 발자국

발　행 | 2024년 7월 29일
저　자 | 김지유
펴낸이 | 한만희
펴낸곳 | 주식회사 부크크
출판사등록 | 2014.07.15.(제2014-16호)
주　소 | 서울특별시 금천구 가산디지털1로 119 SK트윈타워 A동 305호
전　화 | 1670-8316
이메일 | info@bookk.co.kr

ISBN | 979-11-410-9779-0

www.bookk.co.kr

기쁨의 발자국

김지유

목 차

머리말

낭독극, 누구나 즐길 수 있는 쉬운 취미

세상에! 글자만 읽을 줄 알면 즐길 수 있는 인문학적 취미라니! 낭독극을 만나게 된 당신은 행운아입니다. 낭독극에 대해 아시나요? 여러분 중에는 아직 낭독극을 접해본 적 없는 분도 계실 테고, 이미 낭독극을 관람하거나 직접 낭독극에 참여해 본 분도 계실 겁니다.

낭독극은 스테이지 리딩(Stage Reading)이라고도 합니다. 어떤 분들은 '무대 독서'라고 번역하기도 하는데, 저는 낭독보다 극에 초점을 두어 '낭독극'이라는 말을 쓰겠습니다. 낭독극은 우리가 아는 보통의 연극처럼 세트를 꾸미고 의상을 갖춘 배우가 대사를 모조리 외워서 몸으로 연기하며 꾸미는 극이 아닙니다. 배우가 고정된 위치에 서거나 앉아서, 혹은 최소한의 움직임을 가미해 대본을 읽으면서 대개 목소리만으로 연기하는 극을 말합니다. 드라마 촬영을 시작하기 전에 배우들이 모여서 드라마 대본을 읽는 모습, TV에서 가끔 보셨죠? 그것과 약간 비슷하다고 생각하시면 됩니다. 하지만 낭독극은 단순한 대본 읽기 연습이 아니라는 점, 엄연히 하나의 완성을 추구하는 고유한 형태의 공연이라는 점, 꼭 기억해 주셨으면 합니다.

저는 연극 동호회, 낭독극 커뮤니티 등에서 활동하기도 하고 교육연극 프로그램을 진행하거나 낭독극 공연에서 배우, 감독, 대본 작가, 연출 등을 맡으며, 음향도 준비하고 사람들에게 낭독극을 가르치며 점점 더 낭독극에 빠져들게 됐습니다. 한 번 낭독극을 접한 사람은 다음엔 어떤 작품을 하게 될까, 어떤 배역을 맡게 될까 하는 기대로 가득 차게 되죠. 자신의 성격과 정반대인 성격의 인물을 연기하는 것도 각별한 재미를 준답니다.

낭독극, 목소리로 만드는 감동의 무대

낭독을 사랑하는 여러분! 오늘 여러분에게 소개하는 것은 단순한 낭독이 아닌, 목소리로 만드는 감동의 무대를 선사하는 낭독극입니다.

인간의 몸은 통째로 하나의 울림통을 가진 악기라고 할 수 있습니다. 그리고 우리는 모두 서로 다른 목소리를 갖고 있죠. 독특한 자기만의 손가락 무늬인 지문(指紋)처럼 독특한 자기만의 목소리 무늬인 성문(聲紋)을 갖고 있습니다. 낭독극은 이러한 독특한 목소리들에 연기, 음악, 조명 등을 가미해 이야기를 생생하게 표현하는 연극 형식입니다. 오직 목소리로만 연기를 하기 때문에 연극보다 더 관객들의 상상력을 자극하고, 더욱 깊은 감동을 선사한다는 장점도 가지고 있지요.

감동적 스토리의 짤막한 대본들

낭독극 활동을 하면서 저는 닐 사이먼의 [굿닥터]나 안톤 체홉의 희곡들, 우리나라 작가들의 희곡 작품 들을 번안하거나 고쳐서 활용하곤 했습니다. 여기 실린 작품들은 주로 잭 캔필드, 마크 빅터 한센 저, 류시화 역, [마음을 열어주는 101가지 이야기]에 실린 에피소드들을 극화한 것입니다. 곽세라의 [모닝콜]에서 뽑은 것도 있고 정채봉의 성인 동화도 한 편 대본으로 재탄생시켰습니다. 두서나 맥락이 없이 다소 번잡하게 묶였으나 인문학적 소박한 통찰과 감동, 웃음, 설렘 등 풍부한 감정을 선사하는 이야기들로 구성했습니다.

또한, 각각의 대본을 공연하는 데 필요한 대략적 소요 시간, 등장인물을 표시하여 독자들의 수고를 덜고자 애써 보았습니다. 중간중간에는 실제로 낭독극을 진행하면서 꼭 필요하다고 생각되었던

부분들이나 재미있는 요소들을 팁 페이지에 제공하여, 누구나 쉽게 참여하고 즐길 수 있도록 구성했습니다.

낭독극은 단순히 낭독하는 것을 넘어, 다양한 사람들과 함께 소통하고 공감하며 성장하는 소중한 경험이 될 것입니다. 목소리로 이야기를 전달하며, 관객들과 감동을 나누는 과정에서 새로운 영감과 즐거움을 얻을 수 있을 것입니다. 또한, 팀워크와 표현력을 향상시키는 데에도 도움이 될 것입니다. 낭독극 대본집을 활용하여, 여러분만의 특별한 낭독극을 만들어 나가시길 바랍니다. 가족, 친구, 동료들과 함께 즐거운 시간을 보내고, 목소리로 만드는 감동의 무대를 함께 경험해 보세요.

낭독극을 더욱 빛나게 만드는 일곱 가지 비법

1. 작품을 마스터하고, 캐릭터의 특징을 깊이 이해하세요.
　1) 꼼꼼한 탐독: 낭독할 작품을 여러 번 읽고, 작가가 전달하고자 하는 메시지와 주제를 명확하게 파악하세요.
　2) 인물 분석: 등장인물들의 성격, 배경, 관계, 감정 등을 면밀히 분석하여, 각 인물의 목소리와 표현 방식을 구체적으로 상상해 보세요. 색연필로 자기가 맡은 부분을 표시해 놓으면 눈에 잘 띄어 좋아요.
　3) 연출 지침 숙지: 연출 지침에 명시된 무대 설정, 분위기, 등장인물의 행동 등을 꼼꼼하게 파악하고, 낭독에 반영하세요.

2. 다채로운 목소리로 감정을 표현하세요.
　1) 톤, 속도, 강약 조절: 기쁨, 슬픔, 분노, 두려움 등 다양한 감정을 목소리의 톤, 속도, 강약을 통해 표현하세요. 필요하다면 대사의 어미 등을 자기 입에 붙도록 조금 바꾸거나 감탄사 등을 추가해도 좋아요.

2) 억양과 발음: 등장인물의 나이, 성별, 직업, 성격 등을 고려하여 적절한 억양과 발음을 사용하세요. 특히 말하는 속도는 성격을 반영하는 데 큰 변별을 줍니다.

3) 침묵 활용: 긴장감을 조성하거나, 중요한 장면을 강조하기 위해 침묵을 효과적으로 활용하세요. 꼭 '(사이)'라는 말이 없어도 약간의 침묵을 활용해서 극적인 공기를 만들어내 보세요.

4) 무대에서 보면대를 사용하는 경우, 입을 가리지 않도록 주의하고 소리가 관객에게 잘 전달되는지 체크하세요.

3. 몸짓과 표정으로 생동감을 더하세요.

1) 제한적 움직임: 낭독극은 무대 위에서 직접 움직이지 않기 때문에, 정적인 연기 속에서도 다양한 감정을 표현할 수 있는 방법을 연구해야 합니다.

2) 손짓과 몸동작: 약간의 손짓과 몸동작을 활용하여 이야기를 더욱 풍부하게 표현하고, 관객들의 시선을 사로잡으세요.

3) 눈빛과 표정: 눈빛과 표정을 통해 등장인물의 감정을 생생하게 표현하고, 관객들과 소통하세요.

4. 팀워크로 하나의 목소리를 만들어내세요.

1) 호흡 맞추기: 다른 낭독자들과 호흡을 맞춰 연기하여, 리듬감 있고 매끄러운 낭독을 선보여 주세요. 가끔 혼자 너무 잘하려고 애쓰는 분이 있습니다. 낭독극은 함께하는 활동임을 꼭 명심해 주세요.

2) 파트별 역할 이해: 각 파트별 역할과 책임을 명확하게 이해하고, 서로 협력하여 극을 완성하세요.

3) 적극적 소통: 낭독 연습 과정에서 의견을 적극적으로 나누고, 서로에게 피드백을 제공하여 더 나은 결과를 만들어 나가세요.

5. 무대를 채우는 매력적인 연출을 추가하세요.

1) 음악과 음향효과: 적절한 음악과 효과음을 활용하여 극의 분위기를 고조하고, 몰입감을 높이세요. 웹상에 공개된 무료 음향자료를 활용해도 좋고, 직접 녹음한 효과음을 활용해도 좋습니다. 기타, 우쿨렐레, 오카리나, 칼림바, 텅드럼, 싱잉볼 등 휴대하기 편한 악기들을 이용하는 것도 추천합니다.

2) 조명: 조명을 적절히 활용하면 무대 분위기를 조성하고, 관객들의 시선을 집중시키는 데 도움이 됩니다.

3) 소품: 보자기, 모자, 넥타이, 안경, 각종 악세서리 등의 소품을 활용하여 등장인물의 개성을 드러내고, 이야기를 더욱 생생하게 표현하여 관객들의 상상력을 자극하세요.

4) 에코 마이크 혹은 둥근 깡통의 공명을 이용해 전화 목소리나 기억 속의 목소리를 연기하면 색다른 재미를 느낄 수 있어요.

6. 관객과 소통하며 즐거움을 나누세요.

1) 관객과의 눈 맞춤: 대본에만 너무 몰두하기보다는 종종 관객들과 눈을 맞추고 소통하는 태도를 보여주세요.

2) 적절한 페이스: 이야기의 흐름에 맞춰 적절한 페이스로 낭독하여, 관객들의 흥미를 유지하세요.

3) 함께 만들어가는 극: 관객들의 반응을 살펴보면서 낭독 방식을 조절하고, 함께 극을 만들어나가는 즐거움을 느껴보세요.

7. 꾸준한 연습과 열정을 가지세요.

1) 반복 낭독: 꾸준히 낭독 연습을 통해 자신감을 키우고, 실력을 향상시키세요. 연습을 오래 해도 그날그날 컨디션에 따라 다른 연기가 나옵니다. 일정한 퀄리티를 유지하려면 반복적인 연습이 필수입니다.

2) 녹음 및 피드백: 낭독을 녹음하여 들어보면 분명히 개선점이 생깁니다. 자신의 발음, 억양, 표현 등을 확인하고, 이렇게 저렇게

바꿔서 해보세요. 거의 칠십 년 가까이 연기를 해오신 이순재 배우님도 이렇게 저렇게 대사와 느낌을 바꿔가며 연기 연습을 하신다더군요.

그러나 비법 가운데 무엇보다 중요한 것은 즐겁게 참여하는 마음입니다. 즐거움을 방해하는 요소들을 제거하고, 그 어떤 순간에도 즐겁게 몰입한다면 좋은 낭독극을 완성할 수 있습니다. 자신만의 목소리로 이야기를 자유롭게 표현하며, 함께 감동을 나누는 즐거움을 만끽하시길 기원합니다.

이 책의 대사에는 맞춤법을 무시한 입말 표현이 가끔 있습니다. 말맛을 살리고자 일상에서 사용하는 발음을 넣었음을 말씀드립니다. 예를 들면 '네 엄마가 그러더라' 대신에 '니 엄마가 그러더라', 혹은 '먹지도 말고' 대신 '먹지두 말구'와 같이 표기한 경우입니다.

더 하고 싶은 말이 많지만

낭독의 장점과 효용, 낭독극의 기대효과 등등 더 드리고 싶은 말씀이 많지만 사족이 될 것 같아 줄이겠습니다. 실제로 체험해 보시는 것이 가장 좋을 테니까요. 부족한 대본집이지만 마음껏 즐겨주시길 바랄 뿐입니다.

함께 연극과 낭독, 낭독극을 즐겼던 많은 벗님들께 감사의 마음을 전합니다. 그리고 좋은 작품을 창작해 주신 많은 분들께도 깊이 감사합니다.

자, 그럼, 우리 함께 즐거운 낭독극의 세계로 출발해 볼까요?

[팁] 낭독극을 위해 목을 건강하게 관리하세요.

<목 건강에 좋은 음식>

* 따뜻한 물 : 50~60도의 따뜻한 물은 목을 편안하게 해
줍니다. 연습하는 동안 수시로 목을 따뜻하게 적셔주세요.
연습실 습도도 체크하세요.

* 배 : 루테오린 성분이 기관지에 좋습니다.

* 도라지 : 사포닌 성분이 기관지를 촉촉하게 해줍니다.

* 모과, 양배추, 대추 등도 목 건강에 도움을 줍니다.

* 배, 도라지 등을 즙이나 차로 마시면 좋습니다. 꿀을 타
면 더욱 좋지요.

* 종종 식염수나 레몬수로 가글을 해주어도 좋습니다.

<피해야 할 음식>

* 자극적인 음식 : 맵고 짜고 지나치게 기름진 음식은 성대
에 자극을 줍니다.

* 커피, 녹차, 홍차 : 성대 점막을 건조하게 만들기 때문에
목소리를 많이 쓰는 날에는 자제해 주세요.

* 알콜류 : 성대 건조, 출혈, 부종 등을 유발할 수 있으니
피하는 것이 좋습니다.

* 음식 관리도 좋지만, 무엇보다 감기에 걸리지 않는 것이
중요합니다.

* 피로는 금물. 그리고 손 씻기를 생활화하면 감기 걱정은
덜겠죠?

* 흡연, 과도한 스트레스, 고함치기도 목 건강에 해로우니
유의해 주세요.

말 한마디에 담긴 행복

○ 소요시간 : 약 4분
○ 등장인물 : 해설, 로베르타, 친구, 목소리, 딸

(오프닝 음악)

[해설] 아침에 새로 피어난 꽃은 누가 봐도 아름답지요. 밝은 햇살이 꽃들에게 말을 걸듯 따스하게 비추고 채 마르지 않은 이슬이 꽃잎과 나뭇잎사귀를 더욱 진한 색으로 물들이고 있는 꽃밭, 그 꽃밭에 어제도 있었던가 싶은 꽃이 피었습니다. 로베르타 여사가 이른 아침부터 정원에 나가서 꽃들을 쳐다보고 있네요.

[로베르타] 아이, 어쩜! 탐스럽게도 피었네. 오늘따라 향기가 진동을 하네.

[해설] 정원에서 완벽하게 핀 장미꽃을 발견한 날이면, 로베르타는 그 꽃을 꺾어 이웃이나 친구들에게 선물하곤 해요. 물론 다른 꽃들도 한아름씩 묶어서 말이죠.

[로베르타] 여기, 줄기가 긴 장미꽃들을 좀 꺾어야겠어. 이 꽃묶음을 거실에 꽂아 놓고 감상하면 좋겠어. 음, 향기 참 좋다.

[해설] 그때였어요. 어디선가 문득 이런 목소리가 들려왔지요.

[목소리] 그 꽃묶음을 그대의 친구에게 주어라.

[로베르타] 음? 희한하군. 그러지 뭐.

[해설] 그 목소리가 어디서 들려온 것인지 모르지만 로베르타는 그 충고에 따르기로 했죠. 그래서 곧장 집 안으로 들어가 화병에 그 장미꽃들을 꽂았습니다. 그러고는 작은 쪽지에 이렇게 적었죠.

[로베르타] 나의 친구에게.

[해설] 그녀는 장미 화병을 들고 나가 어떤 집 현관에 소리 없이 그 화병을 놓아두고 돌아왔어요. 자신의 이웃이자 가장 친한 친구의 집이었죠.

(짧은 음악, 또는 사이)

[해설] 그날 저녁이었습니다.

(전화벨 소리, 따르르르릉, 따르르르릉!)

[로베르타] 여보세요?

[친구] 여보세요? 로베르타? (사이) 정말 고마워. 그 꽃 말야. 나한테, 나한테 진정한 축복이었어.

[로베르타] (웃음) 하도 탐스럽게 피었길래.

[친구] 사실 어제 한숨도 못 잤거든, 너무 충격받아서. 어젯밤에 애들하고 심하게 싸웠는데, 어휴, 아무리 그래도 그렇지. 십대 애들 정말 무섭더라. 나한테 뭐랬는 줄 아니?

[로베르타] 아이구, 왜 그랬대?

[친구] 과제들은 안 하고 이상한 애들하고 어울리다 밤늦게 들어오고, 십대 사춘기를 이해 못 하는 건 아닌데, 답답해서 잔소리를 좀 하다가 그렇게 됐지 뭐.

[로베르타] 그랬구나. 힘들었겠네.

[친구] 그런데 큰애가 나한테 이러는 거야.

[딸] (무시하듯 소리치며) 엄만 친구도 없잖아요!

[친구] (기가 막혀) 하아! 나, 완전 충격 받았어. 너무 잔인한 소리 아니야? 그래서 한숨도 못 잤어. 도저히 잠이 안 오더라구.

[로베르타] 그랬구나.

[친구] 그래. 그런데 직장 나가려고 아침에 현관문을 열었더니 장미 화병이 있는 거야. 너무나 예쁜 꽃이 꽂혀 있는 화병이 말야. 정말이지 꿈도 못 꿨어. 고마워, 로베르타.

[해설] 로베르타의 친구는 화병에 꽃과 함께 꽂혀있는 작은 쪽지를 발견한 순간, 고통이 사그라들고 행복이 솟아나는 것을 느꼈습니다.

(짧은 음악)

[해설] 여러분, 빅토르 위고가 이런 말을 했다죠. '삶의 가장 큰 행복은 우리 자신이 사랑받고 있다는 믿음으로부터 온다.' 뭐 대단한 것도 아닌 '나의 친구에게'라는 단순한 말 한마디가 이렇게 큰 힘을 가졌는지 미처 몰랐습니다. 아, 물론 꽃이 있어서 더 빛났겠지만 말입니다. (웃음)

(엔딩 음악)

사람은 무엇을 기억하는가

○ 소요시간 : 약 6분
○ 등장인물 : 해설, 엘리노어, 엄마, 할머니

(오프닝 음악)

[해설] 엘리노어는 요즘 할머니가 이상해 보였어요. 하지만 할머니께 무슨 문제가 생긴 건지 알지 못했어요.

[할머니] 설탕을 어디다 뒀더라? 아휴, 아무리 찾아도 없네.

[해설] 요즘 들어 할머니는 뭐든지 금방 잊어버렸죠.

[할머니] 세금을 언제까지 내라고 했지? 얘, 에미야, 세금 언제 내라더냐? (사이) 아, 아니지. 어제 세금을 내고 왔는데 왜 또 내라는 거지? 전화를 해서 알아봐야겠어.

[해설] 할머니는 매사를 그렇게 자꾸 잊어먹기만 하셨죠.

[할머니] 야채를 언제 사러 간다고 했지? 어휴, 내가 또 깜박했네.

[해설] 엘리노어는 걱정이 되는지 엄마에게 물어 봐요.

[엘리노어] 할머니 왜 저러세요? 옛날에는 소문난 멋쟁이셨는데, 지금은 슬퍼 보이고 정신이 하나도 없어 보이세요. 뭐든지 잘 잊어버리구요.

[엄마] 음, 할머닌 그냥 많이 늙으셔서 그런 것뿐이야. 그래서 이젠 더 많은 사랑이 필요하신 거지.

[엘리노어] 엄마, 늙는 건 어떤 거예요? 늙으면 누구나 잘 잊어버려요? 나도 그렇게 돼요?

[엄마] 늙는다고 해서 누구나 다 기억력이 사라지는 건 아냐, 엘리노어. 우리 생각엔 할머니가 치매에 걸리신 거 같아. 그래서 더 자주 깜박깜박 이것저것 잊어버리시는 거지. 필요한 보살핌을 받으실 수 있게, 아무래도 할머니를 요양원에 보내 드려야 할 것 같구나.

[엘리노어] (놀라서 외친다.) 아, 엄마! 그건 너무 끔찍한 일이에요. 할머닌 집이 너무나 그리우실 거예요.

[엄마] 당연히 그러시겠지. 하지만 우리가 할 수 있는 일은 그것 말고는 별로 많지가 않아. 요양원에 가시면 할머닌 간호를 더 잘 받게 되실 테고, 새로운 친구들도 사귀게 되실 거야.

[엘리노어] (슬픈 표정으로 생각에 잠겼다가 고개를 희미하게 저으며) 말도 안 돼요. 하아! 진짜 마음에 안 들어요.

[엄마] (달래듯) 엘리.

[엘리노어] (슬픔을 억누르며) 그럼 우리가 자주 찾아가서 할머니를 만나도 돼요? 난 할머니가 자꾸 깜박깜박하셔도 할머니랑 같이 얘기 나누는 게 좋단 말예요.

[엄마] 그럼, 우리가 주말에 요양원에 찾아가면 돼. 할머니께 선물을 갖다 드려도 되고.

[엘리노어] (미소를 되찾고) 아이스크림 같은 것두요? 할머닌 딸기 아이스크림을 엄청 좋아하신단 말예요.

[엄마] 물론 되구 말구. 딸기 아이스크림도 되지.

(장소 전환을 암시하는 짧은 음악)

[해설] 노인 요양원으로 할머니를 만나러 간 첫날 엘리노어는 울음이 터질 것만 같았죠.

[엘리노어] (울먹이듯) 엄마, 엄마, 사람들이 전부 휠체어에 앉아 있어요.

[엄마] (부드럽게 설명한다.) 그건, 휠체어에 의지하는 편이 더 나아서 그런 거야. 안 그러면 자꾸 넘어지니까.

[엘리노어] 어? 저기 할머니다. (작은 안내 간판을 읽으며) 일.강.욕.실? 엄마, 일강욕실이 뭐에요?

[엄마] 아아, 일광욕실? 일광욕실이란 건 햇빛을 쬐는 방이라는 뜻이야. 아, 할머니 저 구석에 계시는구나.

[해설] 할머니는 방 한구석에서 창밖의 나무들을 바라보며 멍하니 앉아 계셨죠. 엘리노어는 달려가서 할머니를 힘껏 껴안았어요.

[엘리노어] 할머니! 이것 좀 보세요. 제가 선물 가져왔어요. 할머니가 제일 좋아하는 딸기 아이스크림이에요!

[해설] 할머니는 컵에 든 아이스크림과 작은 나무 숟가락을 받아 들고는 아이스크림을 떠서 드시기 시작했답니다. 엘리노어에게 고맙다는 인사도 하지 않고, 아무 말씀도 하지 않고 말이죠. 엄마는 엘리노어를 안심시키고 싶었어요.

[엄마] 할머닌 지금 아주 맛있게 드시고 계신 거야.

[엘리노어] (실망한 듯) 휴우! 하지만, 할머닌 우리가 누군지 알아보지도 못하시는 거 같아요.

[엄마] 너무 조급하게 생각하면 안 돼. 할머니는 지금 새로운 환경에 와 계시고, 여기에 적응하시려면 시간이 좀 걸릴 거야.

(짧은 음악)

[해설] 하지만 다음번에 엘리와 엄마가 다시 요양원을 방문했을 때도 사정은 마찬가지였습니다. 할머니는 아이스크림을 받을 때는 손녀딸에게 살짝 미소를 보이셨지만, 그 다음에는 처음과 똑같이 아무 말 없이 아이스크림만 드셨지요.

[엘리노어] 할머니, 제가 누군지 아시겠어요?

[할머니] 물론 안다마다. 넌 나한테 아이스크림을 갖다 주는 아이잖니?

[해설] 엘리노어는 두 팔로 할머니를 껴안았어요. 섭섭하다기보다는 마음이 아팠죠.

[엘리노어] 맞아요. 여기 올 때마다 전 아이스크림을 갖다 드리죠. 하지만 저는 할머니 손녀딸 엘리노어이기도 해요. 엘리노어! 저 기억 안 나세요?

[할머니] (엷은 미소를 지으며) 기억 안 나냐구? 기억나지. 분명히 기억나. 넌 나한테 아이스크림을 갖다 주는 아이야.

[해설] (사이) 엘리노어는 속삭이듯 엄마에게 물었죠.

[엘리] (엄마에게 속삭이듯) 할머니가 나를 영원히 기억하지 못하면 어떡하죠, 엄마? 할머니는 혼자만의 세계 속에 계신 거 같아요.

[해설] 엘리노어는 할머니가 혼자 계신 세계를 상상했습니다. 그 세계는 온통 흐릿한 추억들과 고독감만이 가득한 세계였죠. 엘리노어는 할머니 얼굴을 바라보며 말했어요.

[엘리노어] 할머니, 전 할머니를 아주 많이 사랑해요!

[해설] 그러자 할머니 두 뺨에 눈물이 흘러내리는 것 아니겠어요?

[할머니] 사랑? ˋ그래, 난 사랑을 기억하지. 다른 건 기억 못 해도 사랑은 기억한단다.

[엄마] 너도 들었지, 엘리노어? 지금 할머니가 원하시는 건 그저 사랑뿐이야.

[엘리노어] 네, 엄마. (사이) 주말마다 꼭 할머니한테 아이스크림을 갖다 드릴 거예요. 그리고 할머니가 저를 기억하지 못해도 할머닐 계속 껴안아 드릴 거예요.

[해설] 어린 엘리노어는 깨달았습니다. 결국 중요한 것은 바로 이 것이었죠. 누군가의 이름을 기억하는 것보다는 그 사랑을 기억하는 것 말이죠.

(엔딩 음악)

참나무 상자 속의 우정

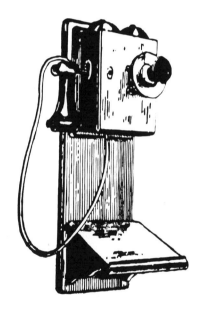

○ 소요시간 : 약 17분
○ 등장인물 : 해설(대학생 폴), 엄마, 아빠, 폴, 안내원, 낸시,
　　　　　　 수리공, 다른 목소리

(오프닝 음악)

[해설] 아주 어렸을 때, 저희 집은 동네에서 처음으로 전화를 설치했습니다. 윤기가 잘잘 흐르는 참나무 전화 상자가 층계참의 벽면에 단단하게 부착되던 그날, 그날의 일을 아직도 똑똑히 기억하고 있습니다. 상자 옆에는 반짝거리는 수화기가 매달려 있었죠. 그리고 전 그때의 전화번호까지도 기억하고 있답니다. 일, 공, 오. 백오번. (사이) 너무 어려서 전화기에 손이 닿기는커녕 키도 닿지 않았지만, 저는 엄마가 수화기에 대고 누군가와 대화하는 것을 호기심에 차서 듣곤 했습니다. 한번은 엄마가 저를 번쩍 들어 올려서 귀에 수화기를 대줬어요.

[엄마] 여보, 폴하고 대화할래요? 폴, 아빠한테 인사해.

[아빠] (전화기 너머) 폴, 잘 지내고 있니? 엄마 말씀 잘 듣고?

[폴] (어리둥절해서 전화기에 대고) 아빠? 우리 아빠?

[아빠] 그래, 폴, 아빠야.

[폴] 우리 아빠는 출장 갔는데? 진짜 아빠야?

[아빠] 그래, 그래, 하하하! 아빠는 지금 출장 중이야. 이틀 뒤 토요일에 집에 돌아갈 거란다.

[폴] 와, 진짜 아빠예요? 아빠 목소리 맞는데?! 와, 신기하다.

[아빠] 하하! 아빠가 선물 사갈 테니 누나랑 싸우지 말고, 엄마 말씀 잘 듣고 있어라, 폴.

[해설] 대화를 마치고 나서도 얼떨떨했어요. 아버지는 분명 출장 중이셨는데 말이죠. 와, 그건 정말 마술 그 자체였어요! (사이) 얼마 후에 전 그 경이로운 상자 속 어딘가에 굉장한 사람이 살고 있다는 사실을 발견했습니다. 이름은 '전화 안내원'. 그리고 세상의 모든 일을 다 아는 사람. 그분이 모르는 건 이 세상에 아무것도 없었죠.

[엄마] 안녕하세요? 시내의 브라운 씨가 운영하는 양장점 전화번호가 몇 번인지 알려줄 수 있나요? (사이) 네에, 감사합니다.

[해설] 시내 양장점 전화번호도 알고.

[엄마] 여보세요? 네, 안녕하세요? 저희 집 시계가 고장나서 그러는데요, 지금 몇 시인지 알 수 있을까요? (사이) 네 시 사십오 분이오? 네, 정말 고맙습니다.

[해설] 몇 시인지도 척척 맞추고. 엄마가 뭔가를 물어볼 때마다 즉각 알려주는 게, 진짜 놀라웠죠. 이 수화기 속에 사는 요정과 제가 처음으로 대화를 나눈 사건은 엄마가 이웃집에 놀러 간 사이에 일어났습니다. 지하실에서 연장통을 갖고 놀던 저는 그만 망치로 손가락을 후려치고 말았어요.

(둔탁한 소리, 꽝!)

[폴] 아악!

[해설] 아파서 죽을 것 같았지만, 또 동시에 울어도 소용없을 것만 같았지요. 아무리 떠나가라 운들 집에는 저를 가엾게 여겨줄 사람이 아무도 없었으니까요.

[폴] 아우, 아퍼. 으으으. (손가락 빼는 소리) 쯥, 쯥!

[해설] 전 욱신거리는 손가락을 빨면서 똥 마려운 강아지처럼 집 안을 이리저리 돌아다녔습니다. 그러다가 마침내 계단참에 이르렀지요. 그때 전화가 눈에 띄었어요.

[폴] 아, 그래!

[해설] 전 거실로 뛰어가서 재빨리 앉은뱅이 의자를 끌어왔어요. 층계참까지 낑낑거리면서 말이죠. 그리고 의자에 올라서고는, 엄마가 평소 하던 것처럼 수화기를 들어 귀에 갖다 댔습니다. 그리고 제 머리보다 더 높은 곳에 있는 송화구에 대고 불렀습니다.

[폴] 안내원!

(전화 연결음, 찰칵 찰칵.)

[안내원] 안내원입니다!

[폴] 손가락을 다쳤어요. 으앙!

[해설] 들어 주는 사람이 생기니 이제 눈물이 펑펑 쏟아졌어요.

[안내원] 저런, 엄마가 집에 안 계시니?

[폴] 네, 엉엉, 집에 나밖에 없어요.

[안내원] 손에서 피가 나니?

[폴] 아뇨. 피는 안 나요. 망치로 손가락을 때렸어요. 엉엉.

[안내원] 아이구, 이런! 집에 얼음통 있니?

[폴] 네, 냉장고에 있어요.

[안내원] 좋아. 그럼, 얼음 한 조각을 꺼내서 손가락에 대고 있으렴. 그렇게 하면 아픔이 가실 거야. 얼음 꺼낼 때 조심하구.

[폴] 네, 해 볼게요. 엉엉.

[안내원] 그래, 그래. 참, 너 이름이 뭐니?

[폴] 폴이에요. 폴 빌리아드. 흑흑.

[안내원] 그래, 폴. 이제 그만 울어. 폴은 용기 있는 아이니까 괜찮을 거야. 알겠지?

[폴] 네, 안 울게요. 끄윽끅.

[해설] 그 사건 이후 전 무슨 일이 있기만 하면 전화기에 매달렸습니다.

[폴] 안녕하세요, 안내원 아줌마? 저 폴 빌리아드에요. 지리 숙제가 너무 어려워요.

[안내원] 아, 폴이구나? 음, 숙제가 어디가 그렇게 어려울까?

[폴] 필라델피아는 어디에 있어요?

[안내원] 필라델피아는 미국 동쪽에 있는 도시야. 뉴욕보다 조금 남쪽에 있는데, 미국에서 가장 오래된 도시 중 하나고, 독립선언서가 서명된 곳으로도 유명하지.

[폴] 아줌마는 필라델피아에 가봤어요?

[안내원] 아니, 직접 가본 적은 없지만, 자유의 여신상이 있는 뉴욕은 가본 적이 있어. 사진으로는 본 적 있는데, 필라델피아도 정말 아름다운 도시라고 해.

[폴] 음, 그래요? 저도 가보고 싶네요. 그런데, 오리노코 강은 어디 있어요?

[안내원] 혹시 '아마존 강'이라는 이름 들어본 적 있니? 아마존 강은 세계에서 가장 긴 강이야. 그 다음이 오리노코 강이지. 오리노코 강은 남아메리카 북쪽에 있어. 정확히 말하면 베네수엘라, 콜롬비아, 브라질, 세 나라를 지나 흐르는 강이란다.

[폴] 어어엄청 긴 강인가 봐요.

[안내원] 그래. 게다가 신기한 동물들도 많이 살고 있대. 핑크 돌고래도 살고, '카이만'이라는 악어도 산대. 카이만은 악어보다 작지만, 그래도 무섭고 위험한 동물이야.

[폴] 와! 멋지다. 저, 이담에 어른이 되면 꼭 그 강을 탐험해 볼 거예요.

[안내원] 그래, 좋은 생각이야.

[폴] 그런데, 아줌마 어떻게 그런 걸 다 아세요? 정말 모르는 게 없어요. 진짜 짱이에요.

(짧은 음악)

[폴] 안내원 아줌마, 안녕하세요? 저, 머리에 쥐가 나려고 해요.

[안내원] 무슨 일이니?

[폴] 산수 문제가 너무 어려워요.

[안내원] 그래? 문제를 천천히 읽어보렴.

(짧은 음악)

[폴] 안녕하세요? 제가 오늘 공원에서 뭘 잡아 왔는지 아세요?

[안내원] 오, 폴이구나? 공원에서 뭘 잡아 왔다구?

[폴] 놀라지 마세요. 얼룩다람쥐예요. 애완용 얼룩다람쥐요.

[안내원] 그래? 정말 귀엽겠구나! 다람쥐가 폴을 좋아하는 거 같니? 어때?

[폴] 그럼요, 눈을 똥그랗게 뜨고 제가 준 사과 조각을 받아먹었어요. 자꾸 줘도 다 받아먹어요. 근데 제가 핫도그를 먹는데, 자기도 먹고 싶은지 막 쳐다봐요.

[안내원] 하하하, 폴은 사랑이 넘치는 아이로구나. 얼룩다람쥐는

햄이나 소시지 같은 걸 먹으면 좋지 않단다. 원래 과일과 열매만 먹는 동물이거든. 헤이즐넛이나 땅콩 같은 걸 줘봐. 그리구, '넌 과일과 열매를 먹는 동물이란다' 하구 타일러 주렴.

[폴] 아, 그래요? 어쩐지!

[안내원] 다람쥐는 볼이 빵빵해지도록 저장할 줄도 알아. 그건 다람쥐들의 즐거움이지. 그러니까 혹시 볼에다 땅콩을 잔뜩 저장하는 걸 봐도 욕심쟁이라고 놀리지는 마라, 폴.

[폴] 네, 알겠어요. 하하하하!

(짧은 음악)

[폴] 안녕하세요? 오늘은 너무 슬프네요.

[안내원] 으음, 무슨 일일까? 폴, 무슨 일이 있니?

[폴] 우리 쪼꼬미가 죽었어요.

[안내원] 쪼꼬미? 쪼꼬미가 누구니?

[폴] 쪼꼬미는 우리 집에서 기르던 카나리아예요.

[안내원] 저런, 어쩜 좋으니? 참 안됐구나.

[폴] 쪼꼬미는 아침마다 예쁜 소리로 노래를 해줬어요. 우리 가족은 쪼꼬미가 노래할 때마다 기쁜 마음이 돼서 다 같이 쪼꼬미를 칭찬했어요.

[안내원] 으응.

[폴] (점점 감정이 고조되며) 그런데, 오늘 아침에 조용해서 가보니까 새장 바닥에 널브러져서 꼼짝도 안 하는 거예요. 새장 바닥에는 깃털이 잔뜩 빠져서 이마안큼 쌓여 있었어요.

[안내원] 그렇구나. 속상했겠다, 폴.

[폴] 네, 너무 너무 속상했어요. 아름다운 노래로 우리 가족을 행복하게 해 줬는데, 휴우.

[안내원] 폴, 폴이 좋아하는 쪼꼬미가 죽었다니 아줌마도 정말 슬프구나. 소중한 친구가 이제 곁에 없다니 얼마나 속상할지 상상도 안 돼.

[폴] 맞아요. 전 너무 슬퍼요. (울음이 터질 듯) 흑.

[안내원] 울고 싶으면 울어도 돼. (사이) 하지만 조금만 울고 쪼꼬미에게 편지를 써 주면 어떨까?

[폴] 네에. 좋은 생각 같아요. 장례식도 해줄 거예요. 편지를 써서 같이 묻어줄 거예요. 지금 쪼꼬미는 제 옆에 있어요. 슬프지만 묻어 줄 거예요.

[안내원] 그래. 그래야지.

[폴] 근데, 아줌마, 쪼꼬미는 왜 죽은 걸까요? 왜 그렇게 갑자기 죽어버린 걸까요?

[안내원] 세상에는 말로 설명하기 힘든 것들도 있단다. 니가 크면 알게 될 거야.

[폴] 도저히 모르겠어요. 정말 착하고 아름다운 새였는데….

[안내원] 그렇구나. (조용하지만 단호하게) 하지만, 폴, 노래 부를 다른 세상이 있다는 걸 결코 잊으면 안 돼.

[폴] 저, 정말 그럴까요?

[안내원] 그럼.

[폴] (다소 진정해서) 노래 부를 다른 세상이 있다구요?

[안내원] 아무렴.

[폴] 그렇다면 다행이지만….

[안내원] 폴, 아줌마는 모르는 게 없는 사람이라고 니가 그랬었지? 아줌마 말을 믿으렴.

(짧은 음악)

[해설] 수많은 날들을 저는 전화기에 매달렸습니다. 귀에 익은 목소리가.

[안내원] 안내원입니다.

[해설] 하고 울리자 저는 물었죠.

[폴] '붙이다'를 어떻게 써요?

[안내원] 풀로 붙이는 걸 말하니, 아니면 편지 부치는 걸 말하니? 뭔가를 풀로 붙일 때는 '부' 밑에다 티읕 받침을 써야 해. 그런데 편지….

[낸시] (귀신처럼 고함치며 과격하게) 우우히히히!

(나무통에 뭔가 부딪치는 둔탁한 소리, 동시에 수화기가 바닥에 떨어지는 소리, 콰광!)

[해설] 순식간에 일어난 일이었죠. 저한텐 두 살 터울의 누나가 있었는데, 저한테 겁주는 걸 광적으로 좋아했거든요. 저를 보자 귀신 흉내를 내면서 계단에서 점프를 해서 저한테 덤벼든 거였어요. 저는 찍소리도 못 하고 앉은뱅이 의자에서 넘어졌습니다. 그 바람에 수화기가 전화통에서 떨어져 버리고 말았죠.

[낸시] (놀라서) 흐응? 어떡하지?

[폴] (수화기를 주워 귀를 대 보고) 아무 소리도 안 들려.

[낸시] (겁에 질려) 아유, 어떡해!? 난 몰라.

[폴] (겁에 질려) 클났다, 누나. 안내원 아줌마가 없어졌어.

[해설] 저는 어린 마음에 걱정이 됐습니다. 혹시 제가 수화기를 잡아뽑아서 안내원 아줌마가 어디 다친 건 아닐까 하구요. 그렇게 어린 남매가 안절부절 못 하고 있는데 몇 분 뒤에.

(초인종 소리, 띵동!)

[남매] (동시에) 누구세요?

[수리공] 난 전화기 수리하는 사람이다. 저 아래서 작업을 하고 있었는데 안내원이 너희 집 전화에 문제가 생겼다고 알려줘서 말이지.

[낸시] 네, 맞아요. 들어오세요.

[수리공] 무슨 일이 난 거니?

[폴] 제가 안내원 아줌마랑 얘기하고 있었는데 누나가 저한테 확 뛰어들어서 의자가 넘어지고 수화기가 쑥 빠져 버렸어요.

[수리공] 음, 그래?

[해설] 전화 수리공이 전화통 뚜껑을 열자 그 속에는 미로처럼 연결된 전선 줄과 코일이 가득했습니다. 그 사람은 수화기 코드를 이리저리 만지고는 작은 십자 드라이버로 나사 몇 개를 조였습니다. 그러고는 후크를 몇 차례 누르더니 전화기에 대해 말했죠.

[수리공] 여보세요? 피터예요. 105번 전화, 이제 아무 이상 없습니다. 네? 아, 이 꼬마 누나가 꼬마를 밀어서 수화기 코드가 빠졌던 거예요. 네, 그럼 이만. (전화를 끊고 남매에게) 후훗, 그럼 아저씨 간다.

[해설] 이 모든 일이 태평양 북서 해안의 작은 마을에서 일어났지요. 그러다가 제가 아홉 살이 되었을 때 저희 가족은 대륙 건너편

의 보스톤으로 이사를 갔습니다. 저는 가정교사를 잃어버려서 참 아쉬웠죠. 안내원은 옛날에 살던 집 층계참의 나무상자로 된 그 낡은 전화통 속에만 살고 있었답니다. 새 전화기, 음, 그러니까 새로 이사 간 집 테이블에 놓인 날렵한 새 전화기 말이죠. 웬일인지 전 그 전화기는 시험해 볼 마음이 내키지 않았습니다. (사이) 하지만 사춘기가 되어서도 어렸을 때의 그 대화에 대한 기억들이 한 번도 내 곁을 떠난 적이 없었습니다. 종종 인생에 대한 의심과 불안한 순간들이 닥쳐올 때면, 저는 옛날을 떠올리려고 애썼죠. 전화 안내원에게서 올바른 해답을 들었을 때 느꼈던 안도감, 그 마음의 평화를 말입니다. 그분이 얼마나 많은 인내심과 친절한 마음을 갖고 한 꼬마를 대해 주었는가를 깨닫고 저는 뒤늦게나마 감사한 생각이 들었습니다.

(짧은 음악)

[해설] 몇 해가 흘러 대학 진학을 위해 다시 미국 서부로 가던 도중, 제가 탄 비행기가 시애틀에 도착했습니다. 다른 비행기로 갈아탈 때까지 30분 정도 시간이 남아 있었죠. 누나에게 전화를 걸었습니다.

[폴] 여보세요? 누나! 응, 시애틀 경유해서 가는데 시간이 좀 있어서. 응? 그럼, 건강하지. 누난 어때? 아기도 잘 있고? 하하하.

[해설] 누나와 대화를 나누면서 15분을 보냈습니다. 그러다가 문득 아무 생각 없이 옛날에 살던 고향 마을 전화 안내원에게 다이얼을 돌렸지요. 그러고는 말했습니다.

[폴] 안내원 부탁합니다.

[해설] 기적처럼, 저는 다시 예전의 그 목소리를 또렷이 들을 수 있었어요. 제가 너무도 잘 기억하고 있는 바로 그 목소리였죠.

[안내원] 안내원입니다.

[해설] 미리 그렇게 해야지 생각한 건 아니었는데, 저는 저도 모르게 이렇게 물었습니다.

[폴] 실례지만 '붙이다'를 어떻게 쓰는지 가르쳐 주시겠어요?

[안내원] (한참 침묵하다가 부드러운 목소리로) 지금쯤은 손가락이 다 나았겠지?

[폴] 하하하하! 정말 아직도 옛날의 그 아줌마시네요. 그 시절에 아줌마가 저한테 얼마나 중요한 분이셨는지 아마 모르셨을 거예요. 꼭 말씀드리고 싶었어요.

[안내원] 그 시절에, 폴, 니가 나한테 얼마나 중요한 존재였는지 넌 아마 몰랐을 거다. 난 아이가 없었지. 그래서 늘 니가 전화해 주기를 기다렸단다. 내 얘기 참 바보처럼 들리지?

[해설] 그렇지 않았습니다. 전혀 바보처럼 들리지 않았습니다. 하지만 그렇게 말해 드릴 수가 없었죠.

[폴] 생각이 많이 나더라구요. 지난 몇 년 동안이나 아줌마 생각이 자주 났어요. 이렇게 아줌마랑 다시 통화를 하게 되다니 신기하기도 하고 참 반갑네요.

[안내원] 그러게 말이다. 니 목소리 듣고 깜짝 놀랐다니까.

[폴] 요번에 대학에 입학해요. 첫 학기 마치고 방학 때 누나 만나러 올 건데, 그때 다시 전화해도 될까요?

[안내원] 그럼, 되구 말구. 니 전화라면 언제든 기다리구 있을게. 샐리를 찾으면 돼.

[폴] 그럼, 안녕히 계세요, 샐리 아줌마.

[해설] 훗, 안내원이 이름을 갖고 있다는 것이 문득 이상하게 들리더군요.

[폴] 다음에 또 얼룩다람쥐를 만나면 헤이즐넛을 먹으라고 말해줄게요.

[안내원] 그래, 그러려무나. 난 니가 오리노코 강을 탐험할 날을 기대하고 있으마. 건강하게 잘 지내라. 그럼, 안녕.

[해설] 정확히 석 달 뒤 저는 다시 시애틀 공항으로 돌아왔지요. 이번엔 다른 목소리가 대답했습니다.

[다른 목소리] 안내원입니다.

[폴] 샐리 여사님 부탁드립니다. 폴 빌리아드가 전화했다고 해주심 돼요.

[다른 목소리] 샐리 친구분인가요?

[폴] 네, 아주 오래된 친구죠.

[다른 목소리] 그럼, 안 좋은 소식이지만 말씀드려야 할 것 같군요. 샐리는 지난 몇 해 동안 시간제로 여기서 일을 했답니다. 건강이 좋지 않았기 때문이지요. 샐리는 5주 전에 세상을 떠났어요.

[폴] 네? 아, (사이) 알겠….

[다른 목소리] 아, 잠깐만요. 지금 전화 거신 분 이름이 혹시 빌리아드라고 했나요?

[폴] 네.

[다른 목소리] 샐리가 빌리아드라는 분한테 전해 주라고 메시지를 남겼군요. 짤막한 메모를 남겼어요.

[폴] (다급하게) 무슨 내용이죠?

[다른 목소리] 이렇게… 적혀 있군요. 제가 읽어 드릴게요. 빌리아드가 전화를 하면 이렇게 전해 주세요. '노래 부를 다른 세상이 있다는 걸 나는 아직도 믿는다.'라구요. 그렇게 말하면 무슨 뜻인지 알 거예요. 이게 전부군요.

[폴] 네, 고맙습니다. (수화기 내려놓는 소리, 철컥.)

[해설] 전화를 끊었습니다. (사이) 맞아요. 저는 압니다, 샐리 아줌마가 한 말이 무슨 뜻인지. 그리고 그 말을 믿습니다. (사이) 아득한 유년 시절을 따뜻하게 해주던 우정은, 그렇게 옛집의 참나무 상자 속에 추억과 함께 봉인되었습니다.

(엔딩 음악)

잡초반에도 꽃이 필까요

○ 소요시간 : 약 15분
○ 등장인물 : 해설, 제니스 코놀리(담임 교사), 테디, 마크,
　　　　　　　남자 교사, 앤, 존, 피터, 교장

(오프닝 음악)

[해설] 교사 생활을 시작한 첫날이었어요. 아참, 미국은 학기가 1월 중순과 9월 초쯤에 시작된답니다. 제 수업은 아무 문제 없이 잘 진행되었죠. 교사가 된다는 건 참 편한 일이군, 그런 생각이 들 정도였어요. 첫날인데 그런 결론을 내렸단 말이죠. 그런데, 그날 마지막 수업인 7교시 때 일이 터졌어요. 수업을 하려고 교실을 향해 걸어가는데.

(가구 부서지는 둔탁한 소리, 와장창!)

[제니스] (속으로) 응? 무슨 소리지? 헉! 저게 뭐야? 싸움질을 하고 있잖아?!

[해설] 한 녀석이 다른 녀석을 바닥에 짓누른 채 주먹질을 하고 있는 모습이 교실 창문을 통해 보이더라구요. 저는 교실 문을 열고 들어섰습니다. 하지만 녀석들은 누가 들어온 줄도 모르더군요.

[테디] 저리 비켜, 이 저능아 새끼야! 난 니 여동생 건드리지 않았단 말야!

[마크] 내 동생한테서 손 떼라구! 너 이 자식아, 알아듣겠어?

[테디] 니 동생한테 아무 짓두 안 했다구, 이 등신아!

[마크] 이 자식이 진짜! 콱 뒤져봐야 정신을 차리려나?

[해설] 순간 저는 기가 막혔습니다. 그래서 그 애들을 향해 소리쳤지요.

[제니스] 당장 그만둬!

[해설] 순간 반 전체가 얼어붙었지요. 학생들의 시선이 일제히 저의 작은 체구에 와서 박히는 게 느껴졌어요.

[제니스] (당혹감을 감추며 속으로) 이런! 내가 괜히 나섰나? 얼굴이 다 뜨끈뜨끈해지네. 아이구, 얘들아, 갑자기 그렇게 날 쳐다보면 어떡해! 어디 쥐구멍 없나?

[해설] 두 아이는 서로를 노려보다가 일어나서 옷을 툭툭 털고는 저를 있는 힘껏 노려보면서 자기들 자리로 돌아갔지요.

(노크 소리, 똑똑.)

[남자 교사] 아, 코놀리 선생님, 지나다가 시끄러운 소리가 나길래요. (학생들을 향해) 너희들 입 닥치고 자리에 앉지 못해? 선생님 말씀 제대로 안 듣다간 큰일날 줄 알아!

[제니스] (속으로) 뭐야! 왠지 나만 무기력한 사람처럼 돼버렸잖아. (학생들을 향해) 자, 다들 책 꺼내고 3쪽 펴봐.

[해설] 준비한 수업을 진행하려고 했지만, 아이들은 정말 의욕이 없어 보였어요. 마지못해 앉아 있는 거였죠. 꾸역꾸역 드디어 수업이 끝났답니다.

[제니스] 자, 오늘은 여기까지. 그리고 아까 싸웠던 친구들은 남아서 선생님하고 얘기 좀 하자.

[해설] 남은 아이들에게 자초지종을 물었지만 녀석들은 저를 무시

하는 듯했어요. 결국 저는 포기했죠.

[제니스] 그만들 가봐.

[해설] 그랬더니, 주먹질을 하던 마크 녀석이 나가면서 이러는 거예요.

[마크] (조롱어린 말투로) 선생님, 시간 낭비하지 마세요. 우린 저능아들이라구요.

[제니스] (속으로) 아, 기운 빠져. 내가 과연 교사가 되는 게 맞나? 첫날부터 완전 골치 아프네. 이런 문제를 어떻게 해결해야 하는 거지? (잠시 생각하다가) 어휴, 모르겠다. 앞으로 한 일 년만 고생하고 내년 여름에 결혼을 하면 훨씬 더 보람 있는 일들을 많이 하게 될 거야.

[해설] 수업을 마치고 교무실에 갔더니 아까 그 남자 선생님이 묻더군요.

[남자 교사] 놈들이 말을 잘 듣던가요?

[제니스] (기어 들어가는 목소리로 얼버무리며) 아, 네에.

[남자 교사] 염려 마세요. 그 녀석들 대부분은 제가 작년 여름 보충수업 때 가르쳤어요. 열네 명밖에 안 되고, 또 걔들은 대부분 졸업을 못 할 거예요. 괜히 잡초반이겠어요? 그러니까 그런 애들 때문에 쓸데없이 시간낭비 하지 마세요.

[제니스] (놀라서 속으로) 잡초반이라니, 세상에! (남자 교사에게)

선생님, 그게 무슨 말씀이죠?

[남자 교사] 그 애들은 다들 판자촌에 살아요. 전부 이민 노동자, 노름꾼 집안의 아이들이죠. 그 녀석들은 기분이 내켜야 학교에 온다구요. 바닥에 깔렸던 애가 완두콩 따러 갔다가 마크 여동생을 괴롭힌 모양이에요. 점심시간에 제가 가서 단단히 교육을 했어야 하는 건데. 아무튼 걔네들은 항상 정신없이 몰아쳐야 해요. 그리고 입 닥치고 있게 만들어야만 해요. 문제 일으키는 놈 있으면 당장 저한테 보내세요.

(짧은 음악)

[해설] 집에 가려고 가방을 챙기고 있는데 자꾸만 마크라는 아이의 표정이 떠올랐어요.

[마크] (공명음) 우린 저능아들이라구요. (사이) 우린 저능아들이라구요. 우린 저능아! 저능아!

[해설] 저는 단호한 결정을 내려야 한다고 생각했어요. 이튿날, 교무실에 들어서자마자 어제 그 남자 선생님께 부탁했죠.

[제니스] 선생님, 제가 수업할 때 교실 안의 일 너무 걱정하지 마시고 그냥 지나가셔도 돼요. 제 방식대로 해볼 계획입니다. 부탁드려요.

[해설] 교실로 가서 저는 학생들을 한 명씩 한 명씩 쳐다봤어요. 그런 다음에 칠판에다 썼지요, '스.니.제'라고요.

[제니스] 이게 내 이름이다. 너희들 이게 무슨 뜻인지 알겠니?

[앤] 와아아아안전 이상해요.

[존] 그런 이름 제 평생에 들어본 적도 없어요. 이름이 뭐 저래?

[피터] 사람 이름 맞아요? 겁나 괴상한 이름이네. 히히.

[해설] 저는 다시 칠판으로 돌아가서 '제니스'라고 썼어요.

[앤, 존, 피터] 제.니.스! 하하하!

[제니스] 하하, 재밌니? 맞아, 선생님 이름은 제니스야.

[피터] 근데 왜 아까는 '스니제'라고 거꾸로 썼어요?

[제니스] 응, 선생님은 학창시절에 글을 배우는 데 문제가 있었어. 난독증이라는 병에 걸린 학생이었거든. 학교를 다니기 시작했을 때 난 내 이름도 똑바로 쓸 수가 없었지. 단어들을 읽을 수도 없었고, 숫자들은 막 머릿속에서 헤엄쳐 다녔어. 결국 나한테는 '저능아' 딱지가 붙었단다.

[존] 저능아요?

[제니스] 그래, 저능아. 그건 맞는 말이었어. 난 말 그대로 저능아 였어. 아직두 그 끔찍한 별명이 귓가에 웅웅거린단다. 지금두 얼굴 이 화끈 달아오르구 말야.

[앤] 그런데 어떻게 선생님이 될 수 있었죠?

[제니스] 그건 내가 그 별명을 증오했기 때문이야. 또 난 우둔하지

않았고, 배우는 걸 좋아했기 때문이지. 그것이 우리 반에 있는 너희들의 미래의 모습이라고 난 믿어. 만약 늬들 중에 '저능아'라는 별명을 좋아하는 사람이 있다면, 이 순간부터 그 사람은 우리 반 소속이 아니다. 반을 바꿔 줄게. 이 교실 안에는 이제부터 저능아는 한 명도 없다! (사이) 선생님은 앞으로 너희들을 쉽게 대하지 않을 생각이야. 너희들이 따라잡을 때까지 공부시키고 또 공부시킬 거야. 너희는 반드시 졸업을 하게 될 거고, 너희들 중 몇 명은 대학에 들어갈 거야. 그렇게 되길 빌어.

[존] (희미한 비웃음) 흥!

[제니스] 이건 농담이 아니라 하나의 약속이야. 난 다시는 이 교실에서 '저능아'라는 단어가 오가는 걸 듣고 싶지 않다. 내 말 알아듣겠니?

[해설] 제가 진지한 선언을 끝마치고 나니까 아이들이 자세를 바르게 고쳐 앉더군요. (사이) 우리는 열심히 공부했답니다. 시간이 흐를수록 제가 한 약속의 가능성을 볼 수 있었어요. 특히 마크는 꽤나 총명했죠. 어느 날 복도에서 마크가 다른 애에게 이렇게 말하는 걸 듣기도 했어요.

[마크] 봐봐, 이 책, 진짜 좋은 책이야. 우리 학급문고에 있는 책은 이제 더 읽을 게 없어.

[앤] 어디 봐. <앵무새 죽이기>? 재밌어? 나도 빌려 봐야겠다.

[해설] 몇 달이 쏜살같이 흘러갔어요. 아이들은 눈부실 정도로 나아졌답니다. 그러던 어느 날 수업 끝 무렵이었어요.

[제니스] 얘들아, 너희들 모두 눈부실 정도로 발전했다는 거 알고 있니?

[앤] 발전요? 발전한 거 같기는 해요.

[피터] 히히, 뭐 눈부실 정도는 아니구요.

[마크] 하지만 사람들은 아직도 저희를 바보라고 놀려요. 영어를 제대로 못 하니까요.

[제니스] (속으로) 앗싸! 바로 그거야. 내가 기다리던 순간이 왔구나. (모두에게) 음, 그렇다면 선생님하고 문법 공부를 좀 해 볼래?

[학생들] 네, 좋아요!

[해설] 세월 참 빠르더군요. 7월이 빠르게 다가오고 있었어요. 결혼을 하고 다른 주로 떠나야 할 시간이 가까웠지요. 아이들은 더 많이 배우고 싶어했어요.

[제니스] 얘들아, 선생님은 7월이면 떠나야 하니까…. 그 전에 하나라도 더 가르쳐 주고 싶은 선생님 마음, 알지? (속으로) 근데, 애들 표정이 왜 이렇지? 내가 떠나는 것 때문에 애들이 화가 나 있나? 음, 그럴지도 몰라.

(짧은 음악)

[해설] 하지만 결국 7월이 왔고, 마지막 수업을 해야만 했지요. 막상 떠나려니 감회가 새로웠어요. 정문에 들어서서 학교 건물을 쳐다보다가 건물 안으로 들어가려는데, 교장 선생님이 기다렸다는 듯

저를 붙잡더군요. 뭔가 엄격한 모습이었어요.

[교장] 코놀리 선생, 잠깐 날 따라 오시겠소? 선생 교실에 문제가
생겼소.

[제니스] (속으로) 헉? 뭐지? 아이 참, 이제 와서 또 뭐야?

[해설] 교실에 들어서자.

[제니스] 우와!

[해설] 저는 놀라 기절할 뻔했어요.

[제니스] 이게 다 웬 꽃이야?! 교실 구석구석까지 전부 꽃으로 꽉
찼잖아!

[해설] 그렇습니다, 학생들 책상 위에도, 사물함 위에도 꽃다발이
가득 올려져 있었죠.

[제니스] 세상에! 이렇게 큰 꽃다발을!

[해설] 교탁 위에는 특히나 엄청나게 커다란 화환이 놓여 있었답
니다.

[제니스] (속으로) 어, 어떻게 이렇게 했지? 이게 다 무슨 일이야!

[해설] 저는 궁금했어요. 아이들 대부분은 너무 가난해서 옷이나
음식 같은 것도 학교에서 지원해 줘야 할 정도였거든요. 저도 모르
게, 제 눈에서는 눈물이 흐르기 시작했어요.

[제니스] (울먹이며) 얘들아!

[앤] 아이, 선생님, 울지 마세요.

[피터] (말이 울음으로 변하며) 울지 마세요오오흑.

[마크] 울지 마세요오. 선생님이 우시니까, 으흑!

[해설] 아이들과 저는 서로를 부둥켜안고 한참 울었답니다. 나중에 전 비밀을 알아냈어요.

[마크] 사실 제가 주말마다 꽃 가게에서 아르바이트를 하는데요, 얼마 전에 토미가 와서 꽃을 주문하더라구요. 그러더니 A반의 안젤라, 또 테일러, 반마다 여러 명이 와서 꽃을 주문하더라구요. 생각해 보니까 코놀리 선생님 송별식을 준비하는 거 같았어요.

[테디] 마크한테 그 얘길 듣고 저희는 머리를 쥐어짰어요. 저희 힘으로 선생님께 선물을 하고 싶었으니까요.

[마크] 저희도 자존심이 있지, 가난뱅이라는 소릴 듣고 싶진 않았어요. 그래서 사장님한테 부탁했지요. '팔리지 않는' 꽃들을 전부 달라고요.

[피터] 그뿐 아니에요. 마크 저 녀석은 진짜 또라이에요. 시내에 있는 장의사들한테 전부 전화를 돌렸다니까요. 모르긴 해도 이 동네 꽃이란 꽃은 마크가 다 긁어 왔을 걸요.

[마크] 하하하, 맞아요. 선생님 한 분이 학교를 떠나기 때문에 꽃이 꼭 필요하다고 설명했지요. 장의사분들은 장례식이 끝날 때마다

사용한 꽃들을 다 모아서 저한테 보내주셨어요.

[제니스] 정말 못 말려! 대단하다, 너희들! 내 생에 이렇게 지혜와 사랑이 넘치는 제자들을 또 만날 수 있을까? 작별 선물 정말 고맙다!

(짧은 음악)

[해설] 하지만, 선물은 그것만이 아니었어요. 다른 선물들은 더 늦게 도착했지요. 2년이나 지나서 말이에요.

(전화벨 소리, 따르르르릉! 따르르르릉!)

[교장] 코놀리 선생님, 잘 지내시죠? 전할 소식이 있어 전화했습니다. 선생님이 열성적으로 가르쳤던 그 반 애들 기억하시죠? 걔들 열네 명이 이번에 전부 다 졸업을 했습니다.

[제니스] 네? 정말요? 세상에! 하느님, 감사합니다. 감사합니다.

[교장] 그뿐 아닙니다. 여섯 명은 대학에 합격했다구요!

[해설] 여러분, 정말 놀랍고 멋진 일이지요? 애송이 시절을 지내고, 28년이나 흐른 지금, 전 또 다른 아이들을 가르치고 있어요. 처음 교사 생활을 시작한 데서 그리 멀지 않은 학교에서 말이죠. (사이) 그 아이 기억하세요? 마크 말이에요. 마크는 대학 동창생하고 결혼했다는 소식을 들었어요. 게다가 성공적인 사업가가 됐다죠? 헌데, 희한한 일도 다 있죠? 3년 전에 제가 가르치던 2학년 영어반 우등생이 나중에 알고 보니 마크 아들이었더라구요. 호호호. 가끔씩 애송이 교사 시절이 떠오르면 전, 저도 모르게 머리를

가로저어요.

[제니스] (가벼운 웃음) 흐흐, 교사를 그만두고 다른 보람 있는 직장을 찾으려고 생각했다니! 나도 참!

[해설] (단호하게) 세상에 잡초반 같은 건 없어요. 그 애들은 꽃가게의 팔리지 않는 꽃들처럼 구석으로 밀려나 있었지만, 쓰레기통에 들어가지 않고 스스로 활짝 피어 세상에 빛을 뿌리게 됐죠. 그 애들이 저에게 준 감동은 저의 가장 큰 자랑거리 중 하나랍니다. 네, 이따금 저는 교사로서 첫발을 내딛던 그 날의 마지막 수업 시간을 회상하고 혼자 웃음 짓는답니다.

(엔딩 음악)

기쁨의 발자국

○ 소요시간 : 약 13분
○ 등장인물 : 해설, 웬디, 루쓰, 웬디맘(웬디 어머니)

(오프닝 음악)

[해설] 루쓰 피터슨은 삶의 여러 의무에 찌든 중년여자랍니다. 그녀는 세상이 그녀에게 문을 닫아 버릴 때마다 5킬로 정도 떨어진 해변까지 차를 몰고 가곤 했지요. 미국 북서부 해변이었는데, 하루는 해변을 거닐다 한 아이를 발견했어요. 아이는 모래성인지 뭔지를 만들고 있다가 고개를 들어 루쓰를 쳐다봤어요. 눈동자가 바다처럼 파란 소녀였습니다.

[웬디] 안녕하세요?

[루쓰] (성가신 듯 속으로) 어휴! 꼬마야, 난 너한테 신경 쓸 기분이 아니란다.

[웬디] 나는요, 지금 뭘 좀 만들고 있어요.

[루쓰] (건성으로) 그래, 나도 알아. 근데 뭘 만들고 있는 거니?

[웬디] 음, 나도 잘 몰라요. 그냥 모래가 손바닥에 닿는 걸 느끼고 있어요.

[루쓰] (속으로) 흥, 그럴듯한 소리군.

[해설] 루쓰는 신발을 벗어들었습니다. 그때 삑삑도요새 한 마리가 근처를 날았습니다.

[웬디] 저 새는 기쁨이에요.

[루쓰] 저게, 뭐라고?

[웬디] 기쁨이라구요. 엄마가 그러는데 삑삑도요새는 우리한테 기쁨을 가져다 준대요.

[해설] 새는 해변 저쪽으로 미끄러지듯 날아갔습니다.

[루쓰] (자조하듯 독백하며) 잘 가라, 기쁨아. 그리고 어서 와라, 고통아.

[해설] 루쓰는 자리를 떠나려고 몸을 돌렸습니다. 그녀는 절망에 빠져 있었죠. 루쓰는 자신의 삶이 완전히 균형을 잃은 상태라고 생각했습니다. 하지만, 아이는 포기하지 않았죠.

[웬디] 아줌만 이름이 뭐에요?

[루쓰] 루쓰. 난 루쓰 피터슨이야.

[웬디] 제 이름은 윈디에요.

[해설] 아이는 웬디라는 이름을 윈디라고 발음하고 있었죠. 윈디. 루쓰는 그 이름을 듣자 정말 바람이 부는 것처럼 느껴졌답니다.

[웬디] 그리구 여자아이에요.

[루쓰] 안녕, 윈디!

[웬디] 낄낄낄낄낄, 아줌만 재밌어요.

[루쓰] 그래? 하하하하!

[해설] 우울한 기분에도 불구하고 루쓰는 아이를 따라 웃었습니다. 그리고는 천천히 걸음을 옮겼지요. 본의 아니게 재잘대는 아이와 산책을 한 셈이죠.

[웬디] (아이들 특유의 자지러질 듯한 웃음) 꺄르르륵!

[해설] 아이의 웃음소리가 루쓰를 따라오는 것만 같았습니다.

[웬디] 또 오세요, 피터슨 아줌마. 또다시 행복한 날이 찾아올 거예요.

(짧은 음악)

[해설] 그 후 몇 주 동안이나 루쓰는 스트레스를 받았습니다. 버릇없는 보이스카웃 단원들, 교사와 학부모의 만남, 몸이 불편한 어머니에 대한 걱정 등등 루쓰를 짓누르는 건 한두 가지가 아니었죠. (사이) 하루는 설거지를 끝내고 났는데 아침 해가 아름답게 부엌 창에 비쳐 들었어요.

[루쓰] 그래, 삑삑도요새가 필요해.

[해설] 루쓰는 서둘러 코트를 챙겨 입었습니다.

(사이, 해변의 파도 소리)

[해설] 해변은 변함 없는 위안으로 루쓰를 맞아주었습니다. 바람이 약간 쌀쌀하긴 했지만, 루쓰는 마음을 가라앉히려고 노력하면서 해변을 따라 걸었습니다. 그때였어요.

[웬디] 안녕하세요, 피터슨 아줌마. 저랑 같이 놀이 하실래요?

[해설] 루쓰는 아이에 대해 까맣게 잊고 있었죠. 그래서 아이가 갑자기 눈앞에 나타났을 때 깜짝 놀랐습니다. 하지만 좀 성가신 기분이 들었죠.

[루쓰] (성가신 투로) 무슨 놀이를 하고 싶은데?

[웬디] 저도 잘 몰라요. 아줌마가 말해 보세요.

[루쓰] (빈정거리듯) 엉덩이로 이름 쓰기 놀이라도 하고 싶어서 그러니?

[웬디] (딸랑거리는 웃음소리) 까르르륵! 전 그거 어떻게 하는 놀인지 잘 모르는데요?

[루쓰] 그럼, 그냥 같이 걷자꾸나.

[해설] 아이를 바라보면서 루쓰는 그 애 얼굴이 꽤나 섬세한 아름다움을 지니고 있다고 생각했습니다.

[루쓰] 넌 어디 사니?

[웬디] 저기요. 저기 있는 별장에 살아요.

[루쓰] (속으로) 이상하네. 겨울철인데 여름 별장에서 산다구? (웬디에게) 학교는 어딜 다니니?

[웬디] 학교 안 다녀요. 엄마가 그러는데 우린 지금 방학이래요.

[루쓰] 음, 그렇구나.

[웬디] 아줌마, 아줌마는 몇 살 때 처음 바다에 소풍 갔어요? 조개껍데기도 모으고 막 그랬나요? 아참, 제가요, 언젠가 아주 똥그랗게 생긴 조개껍데기를 찾았거든요? 하얀색인데 진짜 똥그래요. 그래서 만약 목걸이를 만들면 그걸 가운데 달려구 해요. 그게 달랑달랑거리면 꼭 메달같이 보일 거에요.

[루쓰] (건성으로) 그래, 멋지겠구나.

[웬디] 근데 목걸이를 만들려면 작고 예쁜 조개를 더 모아야 해요. 저는 아무 조개나 쓰진 않거든요.

[루쓰] 응, 그래.

[웬디] 조개는 모래성 지을 때 장식으로 많이 써요. 아줌마는 모래성 잘 지어요? 저는 어떨 땐 잘 되구, 어떨 땐 금방 무너져요. 저번에 모래성을 지었는데요, 담장도 삥 둘렀어요. 조개로 장식하구 그리구 궁전 바닥에 해초도 깔구요. 깔깔깔! 그랬더니 바닥이 미끌미끌한 스케이트장 같이 됐어요. 아줌마, 까만 스케이트장이 있으면 재밌을 거 같지 않아요? 꺄르르륵!

[루쓰] (자기 생각에 빠져 무슨 말을 들었는지 놓치고) 어, 어, 그래, 까만 스케이트장이라….

[웬디] 콜라를 얼리면 까맣게 되는데! 제일 큰 그릇에다 콜라를 부어서 한 번 얼려볼까 봐요. 하지만 우리 엄마는 콜라를 사주지 않아요. 아주 옛날에 몇 번 먹어봤을 뿐이죠.

[루쓰] 음….

[웬디] 까만 스케이트장에 구멍을 뚫어 놓으면 게들이 뿅 뿅 튀어 나올 거예요. 게들은 아주 작은 구멍에서 뿅 튀어나오거든요. 까르 륵! 제가 처음 요만한 게를 봤을 땐 너무 신기해서 손바닥에 올려 놓고 막 말을 걸었어요. '얘, 넌 누구니? 난 웬디야.' 그랬더니 얘 가 무서워서 막 왔다 갔다 했어요. 근데 제가 가만히 있었더니 얘 도 저를 빤히 쳐다보더라구요. 게는 정말 귀여워요. 별장에서 키우 려고 가져갔는데, 엄마가 놓아주라고 했어요.

[루쓰] (건성으로) 으응.

[웬디] 와, 아줌마, 저기 좀 봐요. 바다 위에 빤짝이가 떠 있어요. 예쁘다!

[루쓰] 빤짝이라구?

[해설] 해변을 따라 걷는 동안 아이는 어린 여자애들이 흔히 하는 얘기들을 쉴 새 없이 재잘거렸지요. 하지만 루쓰의 마음은 딴 데 가 있었습니다. 바닷물 표면에 햇살이 눈부시게 반짝이는 모습도 비로소 처음 보았지요.

[웬디] 예쁘죠? 저걸 그리려면 빤짝이 풀이 백 개 필요할 거예요.

[루쓰] 호흥. 그래. (속으로) 정말이지 삑삑도요새처럼 끝없이 지저 귀는구나.

[웬디] 저 빤짝이는 하느님이 만들었을 거예요. 그러니까 저렇게 많이 만들 수 있죠. (뭔가 발견하고) 어? 저게 뭐지?

[루쓰] (속으로) 휴, 신기한 것도 많고 재밌는 것도 많고, 넌 참 좋겠다.

[해설] 웬디는 앞으로 달려 나갔다가 되돌아오며 두 사람의 발자국을 보았어요. 모래 위를 뒤따라 길게 이어져 온 발자국이었죠. 웬디가 환하게 웃으며 말했어요.

[웬디] 아줌마, 이건요, 기쁨의 발자국이에요. 오늘은 기쁜 날이니까요.

(음악 혹은 파도 소리)

[루쓰] 기쁨의 발자국? 흥, 잘도 주워섬기네. 웬디, 난 이제 그만 가봐야겠다.

[웬디] 네, 아줌마, 안녕히 가세요. (환하게 웃으며) 참 행복한 하루였어요.

[루쓰] (미소 지은 채 고개 끄덕이며) 으음.

(짧은 음악)

[해설] 삼 주쯤 지나서 루쓰는 또 미쳐 버릴 것 같은 마음 상태가 되어버렸고, 그 때문에 다시 해변으로 달려갔습니다. 저만치 여름 별장 현관에 웬디와 그 애 엄마가 나와 있는 게 보였지만, 인사를 건넬 기분도 아니었습니다.

[루쓰] (화를 내며 소리 높여) 애 좀 들여보내요. 집 안에 있게 하라구요!

[해설] 루쓰는 이렇게 고함을 쳐 주고 싶었습니다. 하지만, 영락없이 웬디는 말을 걸어왔죠.

[웬디] 어? 아줌마! 안녕하세요? 오랜만에 또 오셨네요?

[루쓰] 얘, 미안한 말이지만 난 오늘은 혼자 있고 싶구나.

[해설] 아이는 이전과 다르게 얼굴이 창백하고 숨이 가빠 보였습니다.

[웬디] 왜요?

[루쓰] (아이를 외면하고 소리 높여) 왜냐하면, 우리 엄마가 돌아가셨으니까 말야. (속으로) 오, 맙소사! 내가 지금 어린애한테 무슨 말을 하고 있는 거지?

[웬디] (조용히) 그랬군요. 그럼 오늘은 행복하지 않은 날이네요.

[루쓰] 그래. 어제도 그랬고, 그저께도 그랬고, 그끄저께도 그랬어. 언제나 행복하지 않았어. 아아, 넌 저리 좀 가라, 제발.

[웬디] 그것 때문에 마음이 상하셨어요?

[루쓰] (아이와 자신에게 버럭 화를 내며) 뭣 때문에 맘이 상했다는 거니?

[웬디] 아줌마 엄마가 돌아가신 것 말예요.

[루쓰] 물론 상하다마다!

[해설] 루쓰는 닦아세우듯이 말하고 자기 자신의 동굴에 파묻혀 그 자리를 떠나버리고 말았습니다.

(짧은 음악)

[해설] 그로부터 한 달여 뒤 그녀가 다시 해변을 찾았을 때, 아이는 거기 없었습니다. 해변을 산책하며 주변을 슬쩍 둘러봤지만, 한 줄로 이어진 자신의 발자국만 보일 뿐이었습니다.

[루쓰] (속으로) 흐음, 미안하고 부끄럽네. 웬디도 보고 싶고.

[해설] 혼자서 산책을 마친 루쓰는 여름 별장으로 가서 문을 두드렸습니다. 짙은 갈색 머리의 젊은 여자가 문을 열어 주었죠.

[루쓰] 안녕하세요? 전 루쓰 피터슨이라고 해요. 댁의 딸이 보고 싶어서 왔어요. 오늘은 어딨는지 통 안 보여서요.

[웬디맘] 아, 예, 피터슨 부인. 어서 들어오세요.

(사이, 탁자에 커피잔 내려놓는 소리)

[웬디맘] 웬디한테 얘기 많이 들었어요. 아이가 부인을 괴롭히지나 않았는지 걱정되는군요. 아이가 귀찮게 했다면 제가 대신 사과드릴게요.

[루쓰] 전혀 그렇지 않아요. 웬디는 무척 명랑한 아인걸요.

[해설] 그렇게 말하면서 루쓰는 깜짝 놀랐습니다. 자기 자신의 진심을 드러내고 있다는 걸 깨달았거든요.

[루쓰] 그런데, 어딜 갔나요?

[웬디맘] 웬디는 지난 주에 죽었답니다, 피터슨 부인. 그 앤 백혈병을 앓고 있었어요. 아마 그런 말씀은 안 드렸겠지요.

[루쓰] (충격 받고) 헉!

[해설] 루쓰는 충격을 받고 의자를 움켜잡았습니다. 아무 말도 떠오르지 않았죠.

[웬디맘] 그 앤 이 해변을 무척 좋아했어요. 그래서 그 애가 여길 오자고 했을 때 우린 안 된다고 할 수가 없었어요. 여기로 와서 건강도 좋아진 것 같았고, 그 애 말마따나 행복한 날들이 많이 있었어요. 그런데, 지난 몇 주 동안 급격히 상태가 나빠지더니 그만……. (말을 잇지 못하고 잠시 사이, 문득 생각난 듯) 아, 그 애가 부인께 전하라고 남긴 게 있어요. 어디다 뒀더라? 잠깐만 앉아 계세요. 찾아 갖고 올게요.

[해설] 루쓰는 바보처럼 고개만 끄덕였습니다. 이 사랑스런 젊은 여자에게 무슨 말인가 해야 한다는 생각만 머리에 가득했죠. 아무 말이라도 좋으니 무슨 말이라도요.

[웬디맘] 여기, 받으세요.

[해설] 그녀가 건넨 것은 때 묻은 봉투였습니다. 겉봉에는 어린아이의 필체로 큼지막하게 '피터슨 아줌마께'라고 적혀 있었답니다. 봉투 안에는 그림 한 장이 들어 있었죠.

(파도 소리, 새 소리)

노란 해변과 파란 바다, 그리고 갈색 새 한 마리가 거기 있었습니다. 바다 위엔 반짝이가 뿌려져 있었고, 모래 사장에는 발자국들이 길게 이어져 있었죠. 그리고 그림 아래쪽에는 정성껏 쓴 글씨 한 줄이 있었어요. '삑삑도요새가 당신에게 기쁨을 가져다 줍니다.' (사이) 루쓰의 눈에서 눈물이 흘러내렸습니다.

[루쓰] (속으로) 어떻게 사랑하는가를 거의 잊고 지내왔어. 그래, 너무나 오랫동안….

[해설] 루쓰는 웬디 어머니를 껴안았습니다.

[루쓰] 정말 안됐어요. 정말 안된 일이에요. 정말로요.

[해설] 둘은 부둥켜안고 한참 동안 흐느꼈습니다. (사이) 루쓰는 소중한 웬디의 그림을 액자에 넣어 방에 걸었습니다. 그 아이가 산 짧은 인생만큼 짤막한 한 문장. 그것은 그녀에게 늘 마음의 평화와 용기, 그리고 무조건적인 사랑을 불러일으킨답니다.

[루쓰] 바다처럼 파란 눈과 모래 빛깔의 머리칼이 아름다웠던 소녀, 니가 나한테 사랑의 선물을 전해 줬구나. 고맙다, 웬디.

(엔딩 음악)

부부지간에 웬 발렌타인데이?

○ 소요시간 : 약 6분
○ 등장인물 : 해설, 래리, 조앤

(오프닝 음악)

[해설] 래리와 조앤은 평범한 부부랍니다. 평범한 도시의 평범한 집에서 살고, 다른 평범한 부부들처럼 남한테 빚 안 지고, 자식들 잘 키우기 위해 열심히 노력하는 그런 부부지요. (사이) 그리고 또 다른 면에 있어서도 평범한 부부예요.

[조앤] (화내며) 아니, 어떻게 그럴 수가 있어? 그러고도 당신이 내 남편이라고 할 수 있어?

[래리] (으르듯) 진짜 지긋지긋하군. 그만 좀 하라구!

[조앤] 뭘 그만해? 내가 미쳤지, 미쳤어. 완전 속아서 결혼했다구!

[래리] 아니, 진짜 이 사람이!? 나도 결혼한 거 후회한다구!

[해설] 네, 맞습니다. 여느 평범한 부부들처럼 하루가 멀다 하고 언쟁을 벌이고, 서로의 감정을 해치면서 잘잘못을 따지기 십상이었죠. 그러던 어느 날, 좀 특이한 사건이 부부 사이에 일어났죠.

[래리] 조앤, 난 마술 서랍장을 갖고 있어요. 언제든지 서랍을 슥 열기만 하면 그 안에 깨끗한 양말과 속옷들이 차곡차곡 챙겨져 있거든.

[조앤] (귀를 의심하듯) 으응?

[래리] 나와 함께 사는 동안 당신은 하루도 변함없이 내 양말하고 속옷들을 챙겨 줬지. 정말 고마워요.

[해설] 조앤은 아무 대답도 하지 않았어요. 그저 안경 너머로 남편을 빤히 쳐다봤죠. 그러고는 의심 가득한 눈초리로.

[조앤] 원하는 게 뭐죠, 래리?

[래리] 아무것도 원하지 않아요. 난 다만 우리 집에 있는 마술 서랍장에 대해 당신에게 고맙다는 말을 하고 싶은 것뿐이었소.

[조앤] (혼잣말) 칫, 엉뚱한 소리 하는 게 처음도 아니구, 뭐.

[해설] 조앤은 대수롭지 않게 생각하고 그 사건을 잊어버렸죠. 다시 며칠이 지났습니다.

[래리] 조앤, 이번 달에 지불할 가계수표를 작성하느라 수고가 많았소. 열여섯 장이나 되는 것들 중에서 열다섯 장을 틀리지 않고 적었으니, 정말 기록적인 걸.

[조앤] (손가락으로 귓구멍을 쑤시고 난 뒤 고개를 저으며 혼잣말로) 흠, 내가 방금 뭘 들은 거지?

[해설] 조앤은 바느질을 하다 말고 고개를 들어 수상쩍은 눈초리로 래리를 쳐다보았어요.

[조앤] 어? 당신은 내가 맨날 수표 번호를 잘못 적는다고 불평을 해왔잖아. 근데 이제 칭찬을 하기로 노선을 바꾼 이유가 뭐죠?

[래리] 이유가 어딨어? 다만 당신이 노력해 주는 것에 대해 고맙다는 말을 하는 것뿐이에요.

[조앤] (머리를 흔들면서 혼잣말로) 뭘 잘못 잡쉈나?

[해설] 뭐가 잘못됐는지는 모르지만 어쨌든 래리는 중단하지 않았죠. 밤이나 낮이나 긍정적인 면만 보면서 긍정적인 말만 하곤 했어요.

[래리] 그러고 보니 내가 여태 이 식탁보에 대해 한마디도 한 적이 없군. 조앤, 당신은 정말 안목이 뛰어나요. 이렇게 우리 집에 잘 어울리면서도 세련된 식탁보를 고를 수 있는 사람이 또 있을까? 새삼스럽지만 고맙다고 말하고 싶소.

[조앤] 네에, 그렇다고 쳐요. (속으로) 빈정대는 건가? 그건 아닌 거 같은데? 흥! 그러거나 말거나.

[해설] 그렇게 몇 주가 지나자 조앤은 남편의 비정상적인 행동에 많이 익숙해졌습니다. 때로는 마지못해 이렇게 대답하기도 했죠.

[조앤] 그렇게 말해 주니 고맙군요.

[해설] 조앤은 심지어 이런 생각까지 하게 됐어요.

[조앤] (혼잣말로) 저이가 이상한 행동을 계속하고 있지만, 나도 잘 대처하고 있는 거지 뭐.

[해설] 심지어 자부심까지 느꼈죠.

[조앤] 나름 센스가 있으니까 충돌 없이 남편 비위를 맞추고 있는 거지. (경쾌하게) 그럼! 나 정도면 대인관계가 괜찮은 거 아냐?

[해설] 하지만 어느 날 모든 것이 무너졌습니다. 상상도 못 할 안 좋은 일이 일어나서 조앤은 머리가 혼란스러워졌죠.

[조앤] (혼란스러워하며) 아, 어떻게 이런 일이 일어날 수가 있어? (화를 폭발시키며) 세상이 도대체 나한테 왜 이러는 거냐고?!

[해설] 그때 래리가 부엌으로 들어오더니 이렇게 말하는 것이었어요.

[래리] 당신은 좀 쉬도록 해요. 설거지는 내가 할 테니까.

[조앤] (놀라서) 아, 당신!

[래리] 자, 그 프라이팬 이리 주고 어서 부엌에서 나가요.

[해설] 조앤은 한참 동안 말없이 서서 남편을 바라보았습니다. 이윽고 그녀는 입을 열어 남편에게 말했죠.

[조앤] 고마워요, 래리. 정말 고마워요!

[해설] 이제 조앤의 발걸음은 한결 가벼워졌답니다. 삶에 대한 자신감이 생겼고, 이따금 노래까지 흥얼거렸죠. 그토록 수많았던 우울한 순간들이 말끔히 떠나갔어요. 이러한 생각과 함께요.

[조앤] (혼잣말로) 왜 저러는진 몰라도 저이의 새로운 행동방식이 더 좋아.

[해설] 이것으로 이 이야기가 끝.난. 것.이. 아니랍니다. 어느 날 더

욱 놀라운 일이 일어났죠. 이번에는 조앤이 먼저 말했어요.

[조앤] 래리, 당신이 그동안 나와 우리 식구들 먹여 살리기 위해서 하루도 빠짐없이 일터에 나가 고생한 것에 대해 고맙게 생각해요. 내가 당신을 얼마나 감사하게 생각하고 있는지 당신은 모를 거예요!

[해설] 그 후에도 래리는 자신의 행동이 그토록 극적으로 바뀌게 된 이유에 대해서는 아내에게 말해 주지 않았어요. 아무리 물어도 말이죠. 그래서 그 이유는 조앤 인생의 여러 수수께끼 중 하나로 남게 되었답니다. 하지만 그 수수께끼에 대해 저는 진심으로 고맙게 여기고 있답니다. 왜냐하면 제가 바로 조앤이니까요.

(엔딩 음악)

나의 특별한 사람은 누구일까

○ 소요시간 : 약 7분
○ 등장인물 : 해설, 교사, 소피아, 부사장, 사장, 아들

(오프닝 음악)

[해설] 여기, 뉴욕에 있는 한 고등학교에서 오늘 재미난 숙제를 내주는 선생님이 있네요.

[교사] 얘들아, 오늘은 너희들에게 상을 주고 싶어. 이름을 부르면 한 명씩 앞으로 나오렴. 먼저, 소피아!

[소피아] 네.

[교사] 소피아, 너는 우리 반에서 정말 특별한 존재란다. 너의 배려심은 우리 반에 사랑을 선사하지. 게다가 목소리도 참 아름답고 말이야. 여기, 특별한 존재라는 걸 나타내기 위해 파란 리본을 달아 줄게.

[소피아] (웃음) 감사합니다, 선생님.

[교사] 다음은 제임스. 제임스는 패션 센스가 넘치고 정말 트랜디하지. 우리 반에 없어서는 안 되는 특별한 존재, 자, 제임스에게도 파란 리본을 달아 줄게.

[해설] 학생들은 한 명씩 한 명씩 파란 리본을 가슴에 달았습니다. 리본에는 황금색 글씨로 이렇게 적혀 있었죠. '당신은 내게 특별한 사람입니다'.

[교사] 자, 모두에게 내 마음이 잘 전해졌길 바라. 그리고, 작은 숙제를 내줄게. 파란색 리본을 세 개씩 나눠 줄 테니까, 릴레이로 사용해 보렴. 며칠 뒤에 결과를 써서 내는 게 숙제야.

[해설] 파란 리본을 받은 소피아는 학교 근처에 있는 회사의 부사장을 찾아갔습니다. 일전에 아르바이트를 할 때 소피아의 진로 문제에 대해 친절하게 상담을 해준 분이었죠.

[소피아] 부사장님, 안녕하세요? 오늘 아침에 아주 멋진 일이 있었어요. 저희 담임 선생님이 저한테 특별한 존재라고 하면서 이 리본을 달아 주셨죠. 물론 다른 애들한테도 다 주셨지만요. 저도 부사장님이 제게 특별한 분이라고 생각돼서 리본을 달아 드리고 싶어요. 진로 문제 상담해 주신 게 저한테 큰 도움이 되었거든요. 제 주변엔 그런 말씀을 해줄 만한 어른이 없거든요.

[해설] 소피아는 부사장의 옷깃에 파란 리본을 달아 준 다음 두 개의 리본을 더 건넸죠.

[소피아] 이건 저희 선생님이 생각해 내신 일인데요, 이 리본을 부사장님께서 존경하는 특별한 사람에게 달아 주세요. 그리고 나머지 하나는 그 사람의 특별한 사람에게 달아 주게 말씀해 주세요. 그 결과를 일주일 뒤에 저에게 꼭 말씀해 주시구요.

[부사장] 고맙다, 소피아.

[해설] 그날 늦게 부사장은 자신의 사장에게로 갔어요. 사장은 직원들 모두에게 지독한 인물로 정평이 난 사람이었죠. 하지만 부사장은 사장 앞으로 다가가서 이렇게 말했어요.

[부사장] 사장님, 오늘도 감사했습니다. 사장님이 가진 천재성과 창조성 덕분에 이번 일도 실적이 엄청난 것 같습니다. 이런 말씀 드리기 뭐하지만, 꼭 한 번은 말씀드리고 싶었습니다. 사장님, 진심

으로 존경합니다.

[사장] (놀라서) 응? 부사장, 그게 무슨 말이오?

[부사장] 이건 특별한 사람에게 달아 주는 리본 릴레이인데요, 저는 사장님께 달아 드리고 싶네요, 감사와 존경의 표시로 말이죠.

[사장] (당황함과 기쁨이 교차하며) 아, 정말 고맙소.

[부사장] 아, 그리고, 제 부탁을 한 가지 들어 주시겠습니까?

[사장] 부탁이라니 무슨?

[부사장] 네, 이 여분의 리본을 드릴 테니 사장님께서 소중히 여기는 특별한 사람에게 달아 주십시오. 사실은 한 학생이 이 리본을 가지고 와서 저한테 건네주면서 이런 부탁을 했습니다.

[해설] 그날 밤 집으로 돌아간 사장은 열일곱 살 난 아들을 불러내 마주 앉혀 놓고 말했어요.

[사장] 얘야, 오늘 정말 믿을 수 없는 일이 나한테 일어났다. 사무실에 앉아 있는데 부사장이 들어오더니 내가 대단히 창조적이고 천재적인 인물이라면서 이 리본을 달아 주더구나. 생각해 봐라. 내가 창조적이고 천재적이라는 거야. 부사장이 '당신은 내게 특별한 사람입니다'라고 적힌 이 리본을 내 가슴에 달아 주었단다. 그러면서 여분의 리본을 하나 더 건네주고는, 내가 특별히 소중하게 여기는 사람에게 달아 주라는 거야. (사이) 오늘 저녁, 차를 몰고 집으로 돌아오면서 난 누구에게 이 리본을 달아 줄까 생각해 봤다. 그

러고는 바로 널 생각했지. 난 너한테 이 리본을 달아 주고 싶구나.

[아들] 네? 뭐라구요?

[사장] 난 사업을 하느라 하루 종일 눈코 뜰 새 없이 바쁘다. 그래서 집에 오면 너한테 별로 신경을 못 쓴 것 같다. 이따금 난 네가 성적이 떨어지고 방 안을 어질러 놓는 것에 대해 고함을 지르곤 했지. 하지만 오늘 밤 난 너하고 이렇게 마주 앉아서 너한테 이 말을 꼭 해주고 싶다. (사이) 넌 내게 누구보다도 특별한 사람이야. 네 엄마와 마찬가지로 넌 내 인생에서 가장 소중한 존재지. 넌 훌륭한 아들이고, 난 널 사랑한다.

[아들] (놀라서) 으흑! 흑흑흑!

[해설] 놀란 아들은 흐느껴 울기 시작했습니다. 눈물을 흘리고 또 흘렸죠. 온몸이 가늘게 떨리고 있었어요. 마침내 고개를 들어 아버지를 바라본 아들은 울먹이며 말했습니다.

[아들] (울음을 삼키며) 아빠, 사실 전 내일 아침에 죽어버릴 생각이었어요. 죄송해요. 인생이 아무 의미가 없는 거 같고, 아빠가 절 사랑하지 않는다고 생각했거든요. 이젠 그럴 필요가 없어졌어요.

(짧은 음악)

[해설] 어떠세요, 여러분? 오늘, 한 사람에게 '당신은 나한테 정말 특별한 사람입니다'라고 말해 주고 싶지 않으신가요?

(엔딩 음악)

- 간장 공장 공장장은 강 공장장이고, 된장 공장 공장장은 공 공장장이다.

- 안 촉촉한 초코칩 나라에 살던 안 촉촉한 초코칩이 촉촉한 초코칩 나라의 촉촉한 초코칩을 보고 촉촉한 초코칩이 되고 싶어서 촉촉한 초코칩 나라에 갔는데 촉촉한 초코칩 나라 촉촉한 초코칩 문지기가 "넌 촉촉한 초코칩이 아니고 안 촉촉한 초코칩이니까 안 촉촉한 초코칩 나라에서 살아"라고 해서 안 촉촉한 초코칩은 촉촉한 초코칩 되기를 포기하고 안 촉촉한 초코칩 나라로 돌아갔다.

- 스위스에서 오셔서 산새들이 속삭이는 산림 숲속에서 숫사슴을 샅샅이 수색해 식사하고 산속 샘물로 세수하며 사는 삼십 삼살 샴쌍둥이 미세스 스미스씨와 미스터 심슨씨는 삼성 설립 사장의 회사 자산 상속자인 사촌의 사돈 김상속씨의 숫기 있고 숭글숭글한 숫색시 삼성소속 식산업 종사자 김삼순씨를 만나서 삼성 수산물 운송수송 수색 실장에게 스위스에서 숫사슴을 샅샅이 수색했던 것을 인정받아 스위스 수산물 운송 수송 과정에서 상해 삭힌 냄새가 나는 수산물을 수색해내는 삼성 소속 수산물 운송수송 수색 사원이 돼서 살신성인으로 쉴새없이 수색하다 산성수에 손이 산화되어 수술실에서 수술하게 됐는데 쉽사리 수술이 잘 안돼서 심신에 좋은 산삼을 달여 슈르릅 들이켰더니 힘이 샘솟아 다시 몸사려 수색하다 삼성 소속 식산업 종사자 김삼순씨와 셋이서 삼삼오오 삼월 삼십 삼일 세시 삼십 삼분 삼십 삼초에 쉰 세살 김식사씨네 시내 스시식당에 식사하러 가서 싱싱한 샥스핀 스시와 삼색샤시참치스시를 살사소스와 슥슥삭삭 샅샅이 비빈 것과 스위스산 소세지를 샤샤샥 싹쓸어 입속에 쑤셔넣어 살며시 삼키고 스산한 새벽 세시 삼십 삼분 삼십 삼초에 산림 숲속으로 사라졌다.

(출처 : 웹, 위키인용집)

강아지 삽니다

○ 소요시간 : 약 3분
○ 등장인물 : 해설, 가게 주인, 소년

(오프닝 음악)

[해설] 가게 주인이 문 앞에다 이렇게 써 붙였습니다.

[가게 주인] 강아지 팝니다.

[해설] 이런 광고는 흔히 아이들의 시선을 끌게 마련이죠. 아닌 게 아니라 한 어린 소년이 가게 안을 기웃거렸어요.

[소년] 강아지 한 마리에 얼마씩 팔아요?

[가게 주인] 30달러에서 50달러 사이에 판다.

[해설] 어린 소년은 주머니를 뒤져 동전 몇 개를 꺼냈어요.

[소년] 아, 지금 저한테는 2달러 37센트밖에 없거든요. 그래도 강아지 좀 구경하면 안 될까요?

[가게 주인] 그러려무나. (미소를 짓고 나서 휘파람을 분다.) 휘익!

[해설] 가게 주인이 안쪽으로 휘파람을 불자 그의 아내가 강아지 다섯 마리를 가게로 내보냈어요.

[소년] 와아, 꼭 털실 뭉치들이 굴러 오는 거 같아요. 하하하!

[해설] 정말 귀엽게 생긴 강아지들이었죠. 그런데 한 마리만은 다른 강아지들보다 눈에 띄게 뒤처져서 달려 나왔어요. 소년은 얼른 그 절뚝거리는 강아지를 가리키며 물었죠.

[소년] 어? 저 강아지는 어디가 아픈가요?

[가게 주인] 으응. 저 강아지는 엉덩이 관절에 이상이 있단다, 꼬마야. 수의사한테 데려가서 진찰을 받아봤는데, 선천적인 거래. 그래서 절뚝거리며 걸을 수밖에 없는 거지.

[소년] 그렇군요.

[가게 주인] 저 강아지는 저렇게 평생 동안 절름발이로 살아갈 수밖에 없어.

[소년] (흥분해서) 전 이 강아지를 사고 싶어요.

[가게 주인] 아니다. 불구가 된 강아지를 돈 받고 팔 순 없어. 니가 정말로 이 강아지를 갖고 싶으면, 그냥 가져가거라.

[소년] (매우 당황해서) 네? 아, 아저씨….

[가게 주인] 공짜로 주겠단 말이다.

[해설] 너무나 당황해버린 소년은 가게 주인의 눈을 똑바로 쳐다보며 얘기했죠.

[소년] 아저씨, 전 이 강아지를 공짜로 가져가고 싶지 않아요. 이 강아지도 다른 강아지들처럼 똑같은 가치를 지닌 강아지예요. 그러니 값을 전부 내겠어요. 사실 지금은 2달러 37센트밖에 없지만, 강아지 값을 다 치를 때까지 매달 5센트씩 갖다 드리겠어요.

[가게 주인] 괜찮다니까 그래. 이런 강아지를 너한테 돈 받고 팔 순 없어. 달리지도 못할 뿐 아니라 다른 강아지들처럼 너하고 장난을 치면서 놀 수도 없을 텐데.

[해설] 그 말을 듣자 소년은 몸을 숙여서 바지 한쪽을 걷어 올렸어요. 그러자 쇠로 된 교정기로 지탱되고 있는 왼쪽 다리가 드러났지요.

[소년] 보셔요, 아저씨. 저도 한쪽 다리에 장애가 있어서 다른 아이들처럼 달릴 수가 없어요. 이 강아지처럼 말이죠. 그러니 이 강아지에게는 자기를 이해해 줄 사람이 필요할 거예요. 그렇죠?

(엔딩 음악)

키 작은 노인과 키 작은 소년

○ 소요시간 : 약 1.5분~2분
○ 등장인물 : 해설, 소년, 노인

(오프닝 음악)

[해설] 키 작은 소년과 키 작은 노인이 나란히 앉아 있었어요. 소년이 말했습니다.

[소년] 전 가끔 숟가락을 떨어트려요.

[노인] 나두 그렇단다.

[소년] 전 가끔 바지에 오줌을 싸요.

[노인] (쑥스러운 듯 웃으며) 그것두 나랑 똑같구나.

[소년] 전 자주 울어요.

[노인] (고개를 끄덕이며) 응, 나두 종종 운단다.

[해설] 두 사람 모두 어깨를 축 늘어트린 채 등을 둥그렇게 웅크리고 있었죠. 소년이 또 말했습니다.

[소년] 하지만, 가장 불행한 건 (사이) 어른들이 나한테 별로 관심이 없다는 거예요.

[해설] 그러자 키 작은 노인은 키 작은 소년의 손을 잡으며 말했습니다.

[노인] 나두 니가 무슨 말을 하는지 안다.

(엔딩 음악)

춤추는 사람

○ 소요시간 : 약 7분
○ 등장인물 : 해설, 찰스, (통행료 징수대의) 직원

(오프닝 음악)

[해설] 스웨덴 속담에 이런 말이 있죠. '노래 부르기 좋아하는 사람은 언제 어디서든 노래를 발견한다.' (사이) 요즘은 고속도로를 하이패스로 통과하지만, 예전엔 사람이 통행료를 받던 시절이 있었죠. 차를 몰고 고속도로나 터널을 지나간 적이 있는 분이라면, 통행료 징수대의 직원과 고객과의 관계가 얼마나 기계적인지 잘 아실 거예요. 그야말로 인간이 삶에서 부딪치는 아주 기계적인 만남이죠. 여러분이 징수원에게 돈을 건네면, 그쪽에서 거스름돈을 내주고 그 다음엔 차를 몰고 거길 떠나면 그뿐이죠. (사이) 오클랜드 섬과 샌프란시스코를 잇는 금문교에는 열일곱 개나 되는 통행료 징수대가 있죠. 찰스 가필드 박사는 수천 번이나 징수대를 통과하면서도 기억에 남을 만한 만남을 가진 적이 없었습니다. 그러던 1984년 어느 날 아침이었습니다. 다리를 건너려고 통행료 징수대 근처로 갔는데….

(요란한 댄스 음악 소리, 마이클 잭슨의 콘서트 같은)

[찰스] (놀라서) 뭐지? (주변을 두리번거리며) 어디서 파티라도 하는 건가? (고개를 빼어 여기저기 살피다가) 차 문이 열려 있는 차는 한 대도 없는데?

[해설] 그 소리는 다른 차에서 들려오는 사운드 트랙이 아니었습니다. 찰스가 징수대를 쳐다봤더니, 그 안에서 한 남자가 춤을 추고 있었지요.

[찰스] 지금 뭘 하고 있는 거요?

[직원] 난 지금 파티를 열고 있소.

[해설] 찰스는 다른 징수대들을 둘러봤지만 이 사람 말고는 아무도 몸을 움직이는 이가 없었죠.

[찰스] 그럼 다른 사람들은 왜 가만히 있는 거지요?

[직원] 그 사람들은 초대를 못 받은 모양이죠, 하하하.

[해설] 물어볼 게 많았지만 뒤에서 기다리는 차가 경적을 울려댔기 때문에 찰스는 차를 몰고 그곳을 떠났습니다. 하지만 그 일이 계속 마음속에 남아 있었죠.

[찰스] (혼잣말로) 음, 그 친구를 꼭 다시 만나봐야지. (눈을 빛내며) 그 통행료 징수대 안에는 뭔가 마술적인 것이 있을지 몰라.

[해설] 몇 달 뒤 찰스는 그 친구를 다시 발견했습니다. 그 사람은 여전히 음악을 크게 틀어 놓고, 아직도 혼자서 파티중이었지요.

(요란한 댄스 음악 소리)

[찰스] 이봐요, 지금 뭘 하고 있는 거요?

[직원] 어? 저번에도 똑같은 걸 물었던 분이군요? 기억이 나는구먼. 난 아직도 춤을 추고 있소. 똑같은 파티를 계속 열고 있는 중이라니까요.

[찰스] 그럼 다른 사람들은 왜 가만히 있죠?

[직원] 하핫, 저기들 좀 봐요. 선생 눈에는 저 칸막이들이 어떻게 보이슈?

[해설] 그 남자는 다른 통행료 징수대들을 가리키며 찰스에게 되물었지요.

[찰스] 그야, 통행료 받는 곳으로 보이죠.

[직원] (소리치며) 허허, 상상력이 저어어어언혀 없구먼!

[찰스] 좋습니다. 내가 상상력이 없다는 걸 인정하죠. 그럼 댁의 눈에는 저것들이 어떻게 보이나요?

[직원] 수직으로 세워 놓은 관짝들이지.

[찰스] (의아해서) 응? 지금 무슨 소릴 하는 거요?

[직원] 자, 봐요. 증명해 줄 테니까. 매일 아침 여덟 시 반이면 멀쩡하게 살아있는 사람들이 저 안으로 들어가지요. 저 사람들은 저 안에서 여덟 시간 동안 죽어 있는 거요. 그러다 오후 네 시 반이 되면 그들은 무덤에서 일어난 나사로처럼 저곳을 기어 나와 집으로 가는 거요. 여덟 시간 동안 두뇌는 죽은 시체처럼 정지해 버리고, 오로지 돈 세는 일에만 매달려 있지. 딱 그 일에 필요한 동작만 하면서 말이오!

[찰스] (놀라서) 오, 그렇군요. (속으로) 정말 놀라운 사람이야. 자기 직업에 대한 하나의 철학, 신학을 발전시켰는 걸. 흥미로운 통찰이군. (다시 직원에게) 그런데 당신은 왜 다르죠? 당신은 저들과

달리 좋은 시간을 보내고 있는 것 같군요.

[직원] 그걸 물어볼 줄 알았지. 난 사실 댄스 교사가 될 꿈을 갖고 있소. 춤 가르치는 선생 말이오. 그래서 이곳에서 통행료를 받으면서 열심히 춤 연습을 하고 있는 거요. (건너편에 있는 사무실을 가리키며) 저기 보이죠? 저 사무실, 저기서 나한테 월급을 주지요. 말하자면 저 사람들이 내 춤 교습비를 대 주고 있는 거요.

[찰스] 그렇군요! 그렇게 생각한다면 정말로 교습비를 받으면서 일하고 있는 셈이 되는군요, 하하하! (감탄하며 혼잣말로) 하! 멋지군. 정확히 똑같은 상황에서도 열여섯 명은 죽어 있는데, 열일곱 번째 사람은 '살아 있는 길'을 발견한다니. 나를 포함해서 세상 사람 백이면 백, 사흘도 지겨워 못 견딜 그런 좁은 공간 안에서 말야, 이 사람은 파티를 열고 있는 거야! 다음번에 이 사람과 좀더 오래 이야길 나눠보고 싶군.

[해설] 찰스는 그와 점심 약속을 하고 다음번에 함께 점심을 먹었습니다. 그 직원은 역시 남다른 인생관을 지닌 사람이었죠.

[직원] 다른 사람들이 내 직업을 따분하게 평가하는 걸 난 이해할수 없소. 난 혼자만 쓸 수 있는 사무실을 갖고 있는 셈이고, 또한 사방이 유리로 돼 있소.

[찰스] 듣고 보니 그렇군요. 혼자만의 사무실, 그것도 사방이 유리로 된!

[직원] 얼마나 멋집니까? 금문교, 샌프란시스코, 버클리의 아름다운 산들이 다 보이고! 미국 서부의 휴가객 절반이 그걸 구경하러

해마다 몰려오지 않소? 하하하! 그러니 난 얼마나 행운아란 말이오. 날마다 어슬렁거리며 걸어와서는 월급까지 받으며 춤 연습을 하다 가면 되거든요. 하하하하!

[찰스] 그렇군요, 하하하!

[해설] 식사를 같이 하면서 듣게 된 그 직원의 이야기는 찰스의 마음에 울림을 주었습니다. 아브라함 링컨이 그랬던가요? 인간은 자신이 마음먹은 만큼, 그 크기에 따라 행복해진다고요. 자, 지금 여러분이 계신 곳은 관짝인가요, 아니면 행복한 댄스 교습소 같은 곳인가요?

(엔딩 음악)

말의 힘

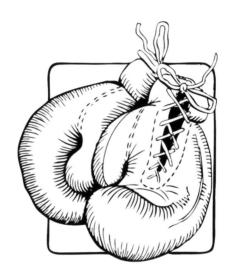

○ 소요시간 : 약 4분
○ 등장인물 : 해설, 수도승, 수도원장, 알리, 기자, 편집장

(오프닝 음악)

[해설] 어떤 말을 만 번 이상 되풀이하면 미래에 그 일이 반드시 이루어진다고 하죠? 말이 갖는 힘은 우리가 생각하는 것보다 훨씬 강하다고 하네요. (사이) 어떤 특별한 수도원에 수도승들이 많이 모여 기도 생활을 하고 있었어요. 이 수도회에서 한 가지 엄격히 지켜지는 것은 침묵이었죠. 수도승들은 누구든 하루 종일 반드시 침묵을 지켜야만 했습니다. 누구라도 절대로 입을 열어선 안 되었죠. 딱 하루, 한 해의 마지막 날이 되면 수도원장에게 두 마디의 말을 할 수 있도록 허용되었어요. (사이) 이 수도회에 새로운 수도승이 들어왔습니다. 일 년 내내 묵언수행을 하고, 그 해의 마지막 날이 되자 수도원장이 그 신참 수도승을 불렀습니다.

[수도원장] 할 말을 하게.

[수도승] 침대가 딱딱해요!

[해설] 수도원장은 고개를 끄덕였습니다.

[수도승] 계속 수행하게.

[해설] 일 년 간의 침묵 수행이 끝났어요. 이듬해 마지막 날.

[수도원장] 할 말을 하게.

[수도승] 음식이 나빠요.

[해설] 수도원장은 고개를 끄덕였습니다.

[수도승] 계속 수행하게.

[해설] 다시 이 수도승의 침묵 수행이 시작되었죠. 삼 년이 되는 해 마지막 날, 신참 수도승은 수도원장을 찾아와 다시 두 마디 말을 했어요.

[수도승] 저 관둘래요.

[해설] 수도원장은 고개를 끄덕였죠.

[수도원장] 당연한 일! 지금까지 한 말이라곤 온통 불평, 불평, 불평뿐이었소.

[해설] 하핫, 부정적인 말이 주는 결과와 긍정적인 기대가 주는 영향은 분명 다르겠죠. 이번엔 좀 다른 얘기를 들려 드릴게요. 어느 날 신문의 스포츠 란에 큼지막하게 세 단어가 실렸어요.

[알리] 난 세계 최고다!

[해설] 이 말은 캐시우스 클레이라는 젊은 무명 권투선수가 잘나가는 선수와의 큰 시합을 앞두고 신문기자에게 한 말이었죠.

[기자] 흥! 뭐라는 거야? 건방지게끔. 같잖은 말 뼈다구가!

[해설] 신문기자는 갑자기 나타난 그 건방진 친구를 한껏 비웃고 조롱하는 기사를 실었답니다. 하지만 그 건방진 친구가 시합에 이겨버렸네요? 그것도 일방적으로 말이죠. 그러자 언론은 그를 주목하기 시작했죠.

[기자] 뭐야? 그 건방진 말 뼉다구가 이겼다구?

[편집장] 시합에서 이겼을 뿐 아니라, 자기가 이길 걸 예언까지 한 셈이군.

[해설] 그는 곧이어 세계 순회 경기를 돌면서도 계속 되풀이했죠.

[알리] 난 세계 최고다!

[해설] 그는 차츰 자기가 상대를 몇 회에 쓰러뜨릴 것인지도 예언 하기 시작했답니다. 한두 경기를 제외하고 그의 예언은 적중했죠.

[편집장] 정말 보통이 아니군. 메타인지가 대단한 사람인 걸?

[해설] 후에 이 사람은 개명을 했어요. 우리가 잘 아는 '무하마드 알리'가 바로 그 이름이죠. 알리가 갖고 있던 신비한 힘의 원천은 바로 자기 확신이었습니다. 그는 아주 간단하고 분명하게 외치고 다녔죠.

[알리] 난 세계 최고다!

[해설] 만약 여러분이 알리가 세계 최고라고 생각하신다면, 그의 믿음은 무서운 힘을 갖고 있었고, 일종의 예언이었다는 것이 증명 된 셈이군요. 나폴레옹 힐이 그랬죠. '마음은 무엇을 믿든지 그 믿음 그대로 해낸다.' 여러분도 이 말을 믿으시는지 궁금해지네요.

(엔딩 음악)

아주 특별한 접시

○ 소요시간 : 약 12분
○ 등장인물 : 해설, 베티, 도나, 마가렛, 에밀리, 제인

(오프닝 음악)

[해설] 식탁 차리는 걸 도우려고 하면 베티의 엄마는 베티에게 종종 이렇게 얘기하죠.

[도나] 오늘은 제일 좋은 접시들을 꺼내렴, 베티.

[베티] 네, 그럴게요. (혼잣말로) 기분 좀 내시려나 보네.

[해설] 자주 있는 일이기 때문에 베티는 거기에 대해 아무것도 묻지 않아요. 그저 시키는 대로 할 뿐이죠. 어느 날 저녁이었어요. 베티가 식탁을 차리고 있는데 예고도 없이 옆집 사는 마가렛 아줌마가 찾아왔지요.

(문 두드리는 소리, 똑똑똑!)

[마가렛] 도나? 들어가도 될까요? 마가렛이에요.

[도나] 아, 마가렛 부인. 어서 오세요. 음식 만드느라 정신이 없었네요. 어서 들어오세요. 주방이 엉망이죠? (웃음)

[마가렛] (놀라서) 어머, 손님이 오실 예정인 줄 몰랐네요. (황급히) 다음에 다시 올게요. 전화 먼저 드리고 나서 올 걸 그랬어요.

[해설] 마가렛이 당황한 이유는 식탁에 놓인 아름다운 접시 세트들 때문이었어요. 평범한 저녁 식사를 위한 세팅이 아니라 누군가를 초대하기 위해 성대하고 멋지게 꾸민 것처럼 보였죠.

[도나] 아녜요, 괜찮아요. 아무 손님도 오지 않아요.

[마가렛] (의아해서) 그럼, 왜 이렇게 귀한 그릇 세트를 꺼내 놓았죠? 전 이런 그릇은 일 년에 한두 번밖에 쓰지 않는데….

[도나] (부드럽게 웃으며) 전 지금까지 우리 가족을 위해 언제나 가장 좋은 식사를 준비해 왔어요. 손님이나 외부인을 위해 특별한 식탁을 차려야만 한다면, 우리 가족들을 위해서도 그렇게 하지 못할 까닭이 없지 않겠어요? 가족은 누구보다도 특별한 사람들이니까요.

[마가렛] 음, 그 말도 일리가 있긴 해요. 하지만 그러다가 아름다운 그릇들이 깨지기라도 하면 어쩌려구요?

[해설] 마가렛은 가족에 대해 도나가 갖고 있는 특별한 가치 기준을 이해하지 못했죠. 도나는 대수롭지 않게 대답했어요.

[도나] 깨진다구요? 뭐, 그럴 수도 있겠죠. (사이) 하지만 온 가족이 저녁 식탁에 둘러앉아 이 아름다운 그릇들로 식사를 할 수 있잖아요. 그렇다면야 접시에 이가 빠지는 것쯤은 그다지 큰 대가가 아니죠. 게다가…. (소녀처럼 눈을 반짝이며) 이 빠진 접시들은 제각기 사연이 있게 마련이죠.

[마가렛] 사연이오?

[해설] 도나는 그릇 진열장으로 가서 접시 하나를 꺼내서 마가렛에게 보여주면서 말을 이었어요.

[도나] 마가렛, 여기, 이 접시에 이가 빠진 게 보이죠? 제가 열일 곱 살 때의 일이었어요. 그날을 결코 잊을 수 없답니다.

(과거를 회상하는 부드러운 음악)

[도나] (한결 부드러운 목소리로) 어느 가을날, 오빠들은 그해의 마지막 건초를 저장하느라 일꾼이 필요했지요. 그래서 청년을 한 명 고용했답니다. 저녁 식사 준비를 하면서 엄마가 저보고 닭장에 서 달걀을 꺼내오라고 하셨죠. 그 청년을 본 건 그때가 처음이었어요. 젊고 튼튼하고 잘생긴 사람이었어요. 전 걸음을 멈추고 서서 그 사람이 커다랗고 무거운 건초더미를 어깨에 들어 올렸다가 휙, 하고는 능숙하게 헛간의 널대 위로 집어 던지는 걸 바라봤어요. 정 말이지 매력적인 남자였어요. 탄탄하고 가는 허리에다 팔뚝은 강인 해 보이고 머릿결은 빛이 났답니다. 그 사람은 제가 쳐다보는 게 느껴졌는지 건초더미를 들어 올린 채로 고개를 돌려 저를 봤죠. 그 러더니 씨익, 미소를 짓는 거였어요. 믿어지지 않을 정도로 미남이 었죠.

[해설] 도나는 손가락으로 접시 가장자리를 어루만지면서 옛날 일 을 들려주었어요.

[도나] 오빠들도 그 청년이 맘에 들었던 모양인지 저녁 식사에 초 대했어요. 큰오빠가 그 사람더러 제 옆자리에 앉으라고 해서, (숨 이 턱 막히는 흉내를 내며) 전 숨도 못 쉬겠더라고요. 그 사람을 쳐다보고 있다가 들킨 뒤였으니 얼마나 당황스러웠겠어요. 그런데 이제 그 사람 바로 옆에 앉아 있게 됐으니…. (웃음) 제 옆자리에 그 사람이 있다는 것만으로도 정신을 차릴 수가 없어서 입을 꼭 다물고 식탁만 내려다봤지요.

[베티] (이야기에 빠져서) 힛, 그래서요?

[해설] 문득 어린 딸과 이웃집 여자 앞에서 소녀 시절 이야기를 하고 있다는 사실을 깨닫고 도나는 얼굴이 살짝 붉어졌어요.

[도나] 어쨌거나 그 사람이 저한테 음식을 덜어달라며 접시를 내밀었는데, 어휴, 어찌나 긴장이 되던지…. 너무 떨리고 손바닥에 땀까지 나서 그만 접시를 떨어뜨리고 말았답니다. 접시가 찜 냄비에 부딪치면서 그만 이렇게 한쪽 이가 빠져버렸지요.

[마가렛] (무감동하게) 음, 나 같으면 잊어버리고 싶은 기억이군요.

[도나] 오히려 정반대죠. 일 년 뒤에 전 그 멋진 남자와 결혼을 했으니까요. 그리고 지금까지도 이 접시를 볼 때마다 전 그이를 처음 만난 그날이 생각나요.

[해설] 도나는 접시를 다른 접시들 뒤켠의 원래 있던 자리에 도로 집어넣었어요. 그러다가 딸 베티와 눈이 마주치자 살짝 윙크를 했죠. 그러고는 서둘러 다른 접시를 꺼냈답니다. 이번 것은 완전히 박살 났다가 접착제로 다시 조각들을 이어 붙인 접시였죠.

[마가렛] (처음 보는 물건에 놀라) 세상에!

[도나] 이 접시는 우리 아들 마크가 막 태어나서 병원에서 집으로 온 날 깨진 거랍니다.

[마가렛] 산산조각이 난 걸 꼼꼼하게도 다시 붙였군요.

[도나] (웃으며) 네에, 그러게요. 그날은 어찌나 춥고 바람이 세게 불던지! 당시 여섯 살이던 베티가 절 거들겠다고 접시를 싱크대로 나르다가 그만 바닥에 놓쳐버렸지요.

[베티] (신기하다는 듯) 엇, 제가요? 여섯 살 때요? (생각하다가 짚이는 것이 있는지) 아아, 맞아요! 그때 엄마가 갓난이를 안고 와서 제가 도와 드리려고 했었던 거죠.

[도나] (베티에게 미소 지으며) 응, 그랬단다. (마가렛 쪽을 보며) 처음엔 당황했지만, 다음 순간 저 자신에게 말했어요. 저건 깨진 접시에 불과해, 새로운 아기가 우리 가정에 가져다 준 행복을 깨진 접시 따위가 망쳐 놓을 순 없어, 라고 말예요.

[마가렛] (무덤덤하게) 그랬군요.

[도나] 사실 그 후 우린 깨진 접시 조각들을 원래대로 맞추면서 몇 번이나 즐거운 시간을 보냈지요.

(회상이 끝났음을 알리는 짧은 음악)

[해설] 도나에게는 그것 말고도, 다른 접시들에 대해서도 많은 사연이 있어 보였어요. 어린 베티는 그렇게 느꼈지요.

[베티] 아이, 신기해. 엄마가 아빠를 처음 만난 날 깨셨다는 그 접시에 대한 이야기를 잊을 수가 없어. 벌써 며칠이나 지났는데 자꾸 생각이 나. 게다가 엄마가 장식장의 다른 접시들 뒤켠에다가 그 접시를 고이 간직해왔잖아. 아, 그것만으로도 너무 낭만적이야. 그 접시는 정말 특별한 의미가 있는 접시야.

[해설] 며칠 뒤 도나는 채소를 사러 시내로 나갔습니다.

[도나] 채소 좀 사올 테니까, 베티, 동생들 잘 돌보고 있어.

[베티] (눈을 빛내며 기다렸다는 듯) 네에!

[해설] 엄마가 탄 차가 도로 아래쪽으로 사라지자마자 베티는 엄마 아빠 침실로 달려갔어요. 사실 그러면 안 되지만, 베티는 여태 계속 그래왔답니다. 의자까지 끌어다 그 위에 올라서서 서랍장의 맨 윗서랍을 열고는.

[베티] (호기심에 차서) 뭐가 있나 봐야지. 으음, 똑같네. 부드럽고 좋은 냄새가 나. 저 안쪽에….

[해설] 조심스럽게 서랍 속의 옷들을 뒤지다 옷 밑에, 그것도 저 안쪽 깊숙이 놓여 있는 네모난 나무 상자를 꺼내서 뚜껑을 열었어요. 수없이 해온 일이라 너무도 익숙했죠.

[베티] 음, 똑같은 게 들어 있네. 늘 똑같지만 그래도 좋아. 이 빨간 루비 반지는… 엄마가 제일 좋아하는 힐다 고모가 엄마한테 물려 주신 거, 그리고 이 진주 귀고리는 엄마의 엄마한테 결혼식날 외할아버지가 선물한 거, 그 담에 이건 엄마 결혼 반지, 엄마가 아빠 일 도와주러 나갈 때 꼭 끼는 그 반지.

[해설] 베티는 소중한 보석들에 다시금 매혹되어 반지와 귀고리를 손가락에도 끼어 보고 귀에도 달아 보았죠.

[베티] 아, 예쁘다. 나도 커서 이 담에 엄마처럼 아름다운 어른이

되면 이런 우아한 보석들을 가질 거야. 나도 빨리 서랍장이 생기면 좋겠다. 내 서랍장이 생기면 다른 사람들한테 '절대로 열어 보면 안 돼요', 하고 말해야지. 아, 얼른 그날이 왔으면 좋겠어.

[해설] 하지만 오늘만큼은 그런 생각들에 너무 오래 매달려 있지 않았죠. 베티는 그 보석함 밑바닥에 깔아 놓은 작은 붉은색 융단을 들췄어요. 거기에는 접시에서 깨어져 나온 평범한 사금파리 하나가 보관되어 있었죠.

[베티] 이건, 전에는 나한테 아무 의미도 없는 거였지. 하지만….

[해설] 베티는 사금파리 조각을 상자에서 꺼내 조심스럽게 빛에 비춰 보았어요. 그리고 본능적으로 부엌 찬장으로 달려가 의자를 받치고 그 접시를 꺼냈죠.

[베티] 와아! 맞았어. 내가 상상한 게 맞아! 세 개뿐인 보석과 함께 엄마가 소중하게 보관하고 있던 이 조각은 (웃음) 아빠와 처음 눈이 마주친 날 깬 바로 이 접시에서 나온 거야.

[해설] 베티는 이제 새로운 사실을 알게 되었죠. 덕분에 엄마에 대한 존경심이 커졌답니다. 베티는 그 성스런 접시 조각을 보석 상자에 조심스럽게 도로 갖다 넣었어요.

[베티] 이제 알겠어. 엄마의 그릇 세트는 가족에 대한 특별한 사랑의 이야기를 간직하고 있다구.

[해설] 네, 그렇습니다. 그 접시들만큼 도나에게 소중한 유산은 없었어요. 깨어진 접시 조각과 함께 가장 특별한 사랑 이야기가 시작

됐으며, 그 이야기는 이제 서른세 번째 장에 이르렀죠. 도나가 결혼한 지 올해로 33년이 된 겁니다!

(짧은 음악)

[도나] 얘들아, 엄마 아빠가 결혼한 지 33년이 지났구나. 나중에 너희들한테 엄마의 보석들을 주고 싶은데, 어떤 걸 갖고 싶니?

[에밀리] 진짜요? 와, 그럼, 엄마, 전 나중에 엄마의 그 골동품 루비 반지를 주시면 좋겠어요.

[제인] 전 외할머니의 진주 귀고리가 맘에 들어요.

[도나] (살짝 놀라며) 기다렸니? 안 물어봤으면 큰일날뻔했구나. (웃으며 베티에게) 베티, 동생들이 성질 급하게 먼저 찜해버려서 어떡하니? 크면서 제일 고생한 건 맏이인 넌데 말야.

[베티] 좋아요, 엄마. 동생들이 우리 가족의 아름다운 유산을 물려받게 되기를 저도 바라고 있어요. (경쾌하게) 하지만 저한테도 기념품을 주셔야죠.

[도나] 아빠가 엄마한테 주신 결혼 반지를 물려 줄까?

[베티] 아뇨, 그건 마크에게 물려 주세요. 대신에… 엄마, 전 아주 특별한 한 여성의 매우 특별한 사랑 이야기가 담겨 있는 기념품을 갖고 싶어요. 그 작은… 사금파리 말이에요.

(엔딩 음악)

[팁] 명확한 의미 전달을 위해 프로소디를 살려보세요.

프로소디는 말의 속도, 높낮이, 강약, 리듬 등을 통틀어 말의 음성적 멜로디를 의미하는 용어입니다. 우리는 무의식적으로 프로소디를 사용하여 다양한 의미와 감정을 표현하고, 상대방과의 소통을 원활하게 합니다.

– 속도: 말하는 속도를 빠르게 하거나 느리게 함으로써 흥분, 지루함, 강조 등을 표현할 수 있습니다.

– 높낮이: 음성의 높낮이를 조절하여 질문, 의혹, 확신, 놀라움 등을 표현할 수 있습니다.

– 강약: 말을 강조하거나 약하게 함으로써 중요한 부분을 드러내거나, 대조를 만들 수 있습니다.

– 리듬: 말의 흐름에 따라 리듬을 조절하여 유머, 풍자, 진지함 등을 표현할 수 있습니다.

* 앞뒤 문맥에 맞춰 문장의 어디를 강조하는가에 따라 의미가 달라집니다. 실제로 예시를 보면서 연습해 보세요.

1. 할머니는 검은 **고양이에게** 둥근 상자를 주었어요.
   (대상을 강조 ; '강아지'가 아니라 '고양이')

2. 할머니는 **검은** 고양이에게 둥근 상자를 주었어요.
   (대상의 특징을 강조 ; '노란'이 아니라 '검은')

3. 할머니는 검은 고양이에게 **둥근** 상자를 주었어요.
   (목적어의 꾸밈말을 강조 ; '네모난'이 아니라 '둥근')

4. 할머니는 검은 고양이에게 둥근 **상자를** 주었어요.
   (목적어를 강조 ; '모자'가 아니라 '상자')

5. 할머니는 검은 고양이에게 둥근 상자를 **주었어요.**
   (행위의 서술어를 강조 ; '던진' 것이 아니라 '준' 것)

별것 아닌 꽃 한 송이

○ 소요시간 : 약 4분
○ 등장인물 : 해설, 신도, 목사, 토미

(오프닝 음악)

[해설] 햇살이 아름다운 일요일입니다. 예배가 있는 날이죠. 람셰이 목사님은 교회를 찾은 신도들을 반갑게 맞이하고 있었어요.

[신도] (반갑게) 안녕하세요, 목사님? 잘 지내셨죠?

[목사] 네, 안녕하세요? 어서 오십쇼.

[신도] (다가가서 집중하며) 자, 가만 계세요. 꽃을 꽂아 드릴게요.

[해설] 그 신도가 목사님 양복 윗도리의 단추 구멍에다 장미꽃을 한 송이 꽂아 주네요.

[목사] 아이쿠, 이런, 매번 감사합니다.

[신도] 별말씀을요.

[해설] 이 신도가 장미꽃을 꽂아 준 건 오늘 처음이 아니었어요. 한동안 주일마다 꽂아 주었죠. 목사님은 처음엔 감사하게 생각했지만, 계속 되풀이되니 이제 그냥 그러려니 하게 됐어요. 그저 일상적으로 감사 인사만 하고 말았죠. 그러던 어느 날, 예배를 마치고 교회를 나가는데 열 살쯤 돼 보이는 한 어린아이가 코앞까지 다가왔어요.

[토미] 목사님, 그 꽃, 이제 어떻게 하실 거예요?

[목사] (이해 못 하고) 응? 무슨 소리냐? (드디어 이해하고 상의

에 꽂힌 장미를 가리키며) 아, 이거 말이니, 꼬마야?

[토미] 네, 목사님. 그 꽃 이제 버리실 건가 해서요.

[목사] (미소 지으며) 갖고 싶니? 그럼, 너 줄게.

[토미] (기뻐하며) 힛, 고맙습니다.

[목사] (무심하게) 그 꽃 갖고 뭘 하려구?

[토미] 할머니한테 갖다 드리려구요.

[목사] 그래?

[토미] 작년에 엄마 아빠가 이혼을 하셨거든요. 그래서 전 엄마하고 살았었는데 엄마가 어떤 아저씨랑 재혼하면서 절 아빠한테 보내셨어요. 그래서 이번엔 한동안 아빠하고 살았는데 아빠가 또다시 절 할머니 집에 데려다 줬어요. 그래서 지금은 할머니랑 둘이 살고 있죠. (사이) 할머닌 저한테 무척 잘해 주세요. 맛있는 것도 만들어 주시고 하나부터 열까지 모든 걸 돌봐 주세요. 할머니가 너무 잘해 주시기 때문에 감사해서 그 꽃을 갖다 드리고 싶어요.

[해설] 목사님은 아이의 말에 눈물을 글썽거렸죠. 그 낭랑한 소리는 목사님 영혼 깊숙한 곳을 울리고 있었답니다. 목사님은 더듬거리며 코트에서 꽃을 떼어냈어요. 그리고 꽃을 손에 쥔 채.

[목사] 얘야, 방금 니가 한 얘기는 내가 여태껏 들은 어떤 이야기보다도 감동적이구나. 하지만 넌 이 꽃을 가져가면 안 된다.

[토미] (살짝 놀라며) 네?

[목사] 왜냐하면 이걸론 충분하지 않으니까 말야. 저기 설교단에 가면 거기에 큰 꽃바구니가 있거든. 매 주일마다 한 가정씩 돌아가면서 주님 앞에 바치는 꽃이지. 그걸 할머니께 갖다 드려라. 그분은 그 꽃바구니를 받을 만한 충분한 자격이 있으시니까.

[토미] 와아! 감사합니다.

[해설] 이때 아이가 한 마지막 말은 목사님 마음에 깊은 인상을 더해 주었죠. 목사님은 지금까지도 그 말을 소중히 기억하고 있다는군요.

[토미] (기쁜 얼굴로) 정말 근사한 날이에요! 한 송이를 갖고 싶었을 뿐인데, 아름다운 꽃을 한 바구니나 얻게 됐으니까요!

(짧은 음악)

[해설] 어쩌면 아이들이야말로 어른들한테는 진짜 꽃일지도 모르겠네요. 되풀이되는 일상에서 꽃을 주는 사람에 대한 감사도 차츰 퇴색하고 일상적인 무심함 속에서 조금씩 의미를 잃어가던 장미꽃 한 송이. 그 꽃이 이 아이 덕분에 새로운 의미를 지닌 채 생생하고 아름답게 활짝 피어나는 것 같네요. 오스카 와일드가 이런 얘길 했다는군요. '나에게는 많은 꽃이 있습니다. 하지만 아이들이야말로 가장 아름다운 꽃입니다.' 정말 그런 것 같지요?

(엔딩 음악)

혼자뿐인 아이에게 꼭 필요한 것

○ 소요시간 : 약 6분
○ 등장인물 : 해설, 할머니, 소녀, 의장, 이웃1, 이웃2, 이웃3,
　　　　　　교사, 농부, 양장점 주인, 의사, 부자

(오프닝 음악, 잔잔하게 흐르다 긴박하게 변하며)

[해설] 소녀는 이층에 있는 자기 방에서 잠을 자다가 깜짝 놀라 깼습니다.

[할머니] 얘, 아가, 일어나라! 어서 일어나. (기운을 다해 큰 소리로) 불이야, 불이야!

[소녀] 할머니! 으앙!

[해설] 불은 순식간에 번졌고, 아래층마저 불길에 휩싸였어요.

[이웃1] 어머, 저걸 어째? 벌써 아래층까지 번졌어! 소방차는 왜 이렇게 안 오는 거야?

[소녀] 할머니! 할머니이! 엉엉! 도와주세요! 우리 할머니가…. 으허헝!

[해설] 할머니는 소녀를 구하려다가 그만 숨을 거두고 말았어요. 소녀가 할 수 있는 일은 이층 창문에서 울부짖으며 도움을 청하는 일뿐이었죠.

[이웃2] 아유, 정말 큰일 났네. 불길이 문을 다 막아서 집 안으로 들어갈 수도 없고! 저 아이를 어떻게 하죠?

[이웃3] 이런! 모두들 잘 들으세요. 소방대 도착이 늦어진다고 하네요. 어떡하죠? 소방대가 지금 올 수가 없대요. 저 아랫마을에 불이 나서 전부 다 거기에 가 있대요.

[이웃2] 아유, 어떡해! 다 타 버리겠어.

[해설] 그때 갑자기 한 남자가 사다리를 들고 나타났어요. 그 사람은 집 벽에다 사다리를 기대고는 번개같이 올라가 집 안으로 사라졌지요. 다시 나타났을 때 그 사람 팔에는 소녀가 안겨 있었어요.

[이웃1] 아이를 구했다! 저 사람이 아이를 꺼내왔어.

[이웃2] 아, 정말 다행이에요. 이리 주세요.

[이웃3] (소녀에게) 얘, 괜찮아? 어디 좀 보자. 다친 데 없니?

[해설] 그 사람은 아래에서 기다리고 있던 사람들에게 아이를 인도하고 나서 밤의 어둠 속으로 홀연히 사라졌습니다.

(시간 경과를 알리는 짧은 음악)

[해설] 몇 주일 뒤 마을 구민회관에서는 누가 이 아이를 집으로 데려가 키울 것인가를 결정하는 회의가 열렸답니다.

[의장] 우리는 지금 우리 마을에 생긴 중요한 문제를 처리해야 합니다. 얼마 전 화재에서 겨우 살아남은 어린 소녀를 누가 입양할지 논의해 봅시다. 경찰이 백방으로 조사한 결과 이 아이에게는 살아 있는 친척이 아무도 없다고 하는군요. 자, 좋은 의견을 내주시오.

[해설] 한 교사가 의장에게 발언권을 청했죠.

[의장] 네, 말씀하세요, 제임스 선생님.

[교사] 저 가엾은 아이는 제가 키우는 게 좋겠습니다. 저는 교사니까 저 아이에게 좋은 교육 환경을 마련해 줄 수 있습니다.

[의장] 그렇겠군요. 네, 농부 피터슨 씨, 말씀하세요.

[농부] 우리 농장에서 키우면 좋겠어요. 농장에 살면 몸도 튼튼하고 안정된 어린 시절을 보낼 수 있지요. 저 애는 제가 키울게요. 몸 튼튼한 게 최고죠.

[의장] 일리가 있습니다. 네, 거기, 양장점을 운영하는 아담스 부인, 일어나서 말씀해 주시죠.

[양장점 주인] 여자애는 뭐니 뭐니 해도 바느질을 잘 해야죠. 제가 저 아일 맡아서 기르고 바느질 기술도 전수한다면 저 애는 버젓한 직업을 가진 유능한 여성으로 성장할 거에요.

[의장] 부인의 바느질 솜씨야 최상급이니까요. 좋은 의견 감사합니다. 다음으로 브라운 선생!

[의사] 나도 아이에게 좋은 걸 줄 수 있소. 난 의사니까 저 애를 특별히 더 잘 돌볼 수 있소. 아무리 좋은 환경이라도 건강이 최고지. 내 집에 데려간다면 항상 곁에서 체크할 수 있지요.

[의장] 좋은 말씀입니다. 저희 작은 애가 아팠을 때도 선생 덕분에 목숨을 건졌었죠.

[해설] 다른 사람들도 나름대로 소녀가 자신들과 함께 살면 좋은 이유들을 설명했어요. 마침내 마을에서 가장 잘 사는 주민이 일어

났죠.

[의장] 자, 다들 조용히해 주십쇼. 우리 마을 유지이신 리차드 씨가 하실 말씀이 있답니다.

[부자] 나는 이 아이에게 여러분들 모두가 지금까지 말한 좋은 조건 들을 제공할 수 있소이다. 돈으로 살 수 있는 모든 것을 줄 수 있어요. 물론 돈을 그냥 줄 수도 있고 말입니다.

[의장] 음, 역시 그런 것도 같군요.

[해설] 앞서 이런저런 이야기를 하던 사람들 사이에 차가운 공기가 흘렀어요.

[양장점 주인] (혼잣말로) 흥, 아주 틀린 소린 아니지. 돈이 많으면 뭐든 해줄 수 있겠지. 돈 앞에 장사 있나?

[교사] (혼잣말로) 뭐야, 돈으로 다 해결하겠다는 거야? 어처구니가 없군.

[농부] (혼잣말로) 저 부자가 아이를 데려가겠군. 뭐, 나쁠 건 없지. 그래도 저 거들먹거리는 태도는 정말 꼴불견이군 그래.

[해설] 어른들이 갖은 의견을 말하고 갖은 생각을 중얼거리는 동안, 즉 자신을 위한 회의가 진행되는 동안 어린 소녀는 시선을 아래로 떨군 채 앉아 있었어요. 입을 꾹 다문 채 아무도 쳐다보지 않고 말이죠.

[의장] 음, 좋습니다. 곧 이 아이에게도 의견을 물어봐야겠군요. 그럼, 다른 의견을 가지신 분은 안 계십니까?

[해설] 그때 한 남자가 회관 뒤쪽에서 느릿느릿 앞으로 걸어 나왔어요. 그 사람은 걸음걸이가 어색하고 어딘가 아파 보였죠. 맨 앞으로 걸어 나온 남자는 어린 소녀 앞으로 곧장 다가가서 두 팔을 내밀었습니다. 모두들 숨을 멈췄어요. 그 사람의 손과 두 팔은 심한 화상을 입은 상태였죠.

[소녀] (큰 소리로) 이 분이 바로 저를 구해 주신 분이에요!

[해설] 소녀는 펄쩍 뛰어올라 남자의 목을 두 팔로 끌어안았어요. 마치 자신의 온 생명을 의지하듯 그 사람을 꼭 껴안았어요, 그 운명적인 날 밤 그랬던 것처럼.

[소녀] (울면서) 아저씨, 아저씨! 흑흑!

[해설] 소녀는 남자의 어깨에 얼굴을 파묻고 몇 분이나 흐느껴 울더니, 한참 뒤에야 고개를 들고 남자에게 미소를 지어 보였어요. 그러자 의장이 모두에게 말했죠.

[의장] 그럼, 오늘 회의는 이것으로 마치겠습니다.

(의사봉 두드리는 소리, 땅땅땅!)

(엔딩 음악)

아이들은 이미 죽었다구요

○ 소요시간 : 약 6분
○ 등장인물 : 해설, 아빠, 부모1, 부모2, 부모3, 부모4, 부모5,
　　　　　　 소방대원, 경찰, 행인1, 행인2, 아르망드

(오프닝 음악)

[해설] 1989년 아르메니아 지방에 진도 8.2의 대지진이 일어났습니다. 그 지진은 불과 4분 만에 온 지역을 폐허로 만들고 3만 명의 목숨을 앗아 갔지요. 극심한 파괴와 혼란의 와중에, 아내를 안전한 곳으로 피신시킨 한 남자는 다시 허둥지둥 일어났어요.

[아빠] 여보, 많이 놀랐지? 여기서 한숨 돌리고 있어요. 내가 얼른 아르망드의 학교로 가볼 테니까.

(짧은 음악)

[아빠] (심하게 충격 받아) 헉, 이럴 수가! 학교가 샌드위치처럼 납작하게 찌그러졌잖아?!

[해설] 남자는 충격을 받아 실신할 정도였습니다.

[아빠] 안 돼! 이럴 순 없어! (흐느끼며) 으흐흑, 아르망드!

[해설] 이전에 아들에게 한 약속이 생각났죠.

[아빠] (회상 속의 목소리) 아르망드, 세상에 무슨 일이 일어나든 아빠는 널 위해 달려갈 거야!

[해설] 그 약속을 생각하니 눈물이 쏟아졌습니다. 폭삭 무너져 내린 학교 건물의 파편들은 그에게 절망감만 안겨 줄 뿐이었죠. 하지만 그는 아들과의 약속을 잊을 수가 없었어요. 그는 아들의 교실 위치를 기억해 내려고 애썼죠.

[아빠] 저 건물이야. 아침마다 저 뒤편의 오른쪽 모퉁이까지 데려다 줬으니까. 그래, 맞아!

[해설] 그는 무너져버린 건물로 달려갔어요. 아들의 교실이었을 법한 곳까지 단숨에 달려가서는 맨손으로 잡석 더미들을 파헤치기 시작했어요.

[아빠] 아르망드! 기다려라, 아르망드! 아빠가 구해 줄게.

[해설] 그가 정신없이 파편 조각들을 들어내고 있을 때 다른 학부모들이 도착했답니다. 슬프긴 모두 다 마찬가지였죠.

[부모1] (흐느끼며) 아아, 해리! 이게 무슨 일이냐, 해리!

[부모2] (울부짖듯) 노리크! 노리크! 여보, 우리 노리크가!

[해설] 모두들 절망에 찬 목소리로 가슴을 치며 자식들 이름을 불렀죠. 한참을 그러다가 이윽고 몇몇 부모들이 다가왔습니다. 그들은 파편 더미에서 미친 듯 돌을 치우고 있는 남자를 억지로 끌어내며 말했죠.

[부모3] 너무 늦었어요!

[부모4] 아이들은 다 죽었다구요!

[부모5] 그래 봐야 아무 소용 없는 짓이에요!

[부모3] 어서 집으로 돌아갑시다!

[부모4] 우리도 다 당신과 같은 처지예요. 자, 마음 추스르고 상황을 받아들여요. 당신이 할 수 있는 일은 아무것도 없어요!

[부모5] 맞아요. 그러다간 당신마저 다친다구요!

[해설] 하지만 남자는 돌 치우기를 그만두기는커녕 도리어 그를 말리는 이들에게 부탁을 했죠.

[아빠] 저 좀 도와주세요.

[해설] 그러면서 아랑곳없이 돌들을 파내려 갔어요. 소방대장이 달려와 돌더미 속에서 남자를 강제로 끄집어냈죠.

[소방대원] 이봐요, 화재가 날지도 몰라요. 도처에서 폭발이 일어나고 있다구요. 이러다간 당신까지 위험해져요. 우리가 적절한 조치를 취할 테니 어서 집으로 돌아가요.

[아빠] 아, 안됩니다. 그럴 수 없어요. 아들을 구해야 합니다. 제발 저 좀 도와주시겠어요?

[경찰1] 경찰입니다, 선생님. 마음이 괴로운 건 다 이해해요. 하지만 이미 끝난 일이에요. 선생님은 지금 다른 사람들까지도 위험에 몰아넣고 있어요. 그러니 당장 집으로 돌아가요. 우리가 대신 처리할 테니!

[아빠] 경관님, 저 좀 도와주시겠어요? 네? 제발요!

[해설] 아무도 그를 도와주지 않고 뜯어말리기만 했지만 남자는

포기하지 않고 혼자서 작업을 계속했어요.

[아빠] 내 아들이 살았는지 죽었는지 이 두 눈으로 똑바로 확인할 거야. 그때까진 포기할 수 없어.

[해설] 혼자서 건물 파편들을 파헤쳐 들어가는 남자의 얼굴에서 눈물인지 땀인지 모를 것이 계속 후두둑 떨어지고 있었습니다. 그 러기를 여덟 시간. 고통에 찬 지난한 시간들이었죠. 또 열두 시간, 스물네 시간, 서른여섯 시간… 그러다 마침내 서른여덟 시간이 지 나버렸습니다.

[행인1] 정말 안 됐군. 저 사람은 미쳤어. 엊그제부터 저러고 있으 니….

[행인2] 건물이 완전히 붕괴됐는데, 도대체 무슨 희망이 있다고, 어휴! 애들은 이미 다 죽었다고!

[해설] 남들이 뭐라고 하건 귓등으로 들으며 남자는 커다란 둥근 돌 하나를 힘껏 들어 올렸습니다. 그때 꿈인 듯 아들의 목소리가 그의 귀를 스쳤어요.

[아빠] 아르망드? 아르망드! 아르망드, 맞지?

[아르망드] 아빠! 아빠예요?

[아빠] 그래, 아르망드! 아빠야, 아르망드!

[아르망드] 아빠, 저 여기 있어요. 아빠가 오실 줄 알았어요.

[해설] 돌더미 속에서 아르망드가 차분하게 설명했어요.

[아르망드] 제가 다른 애들한테 걱정하지 말라고 그랬어요. 아빠가 살아 계시면 틀림없이 절 구하러 오실 테고, 또 다른 애들도 다 구해 주실 거라고 설명해 줬어요.

[아빠] 그래, 그래. 잘했다.

[아르망드] 아빠가 나한테 약속했잖아요. 무슨 일이 일어나든지 아빠가 날 위해 달려올 거라구요. 아빠는 정말 약속을 지켰어요!

[아빠] 그래, 아빠가 왔다. 그 안에 누구누구 있니? 다들 살았니?

[아르망드] 우리 반 서른세 명 중에 열네 명이 여기 있어요, 아빠. 우리, 무섭고 배고파요. 목도 너무 말라요. 아빠가 와 줘서 정말 고마워요. 건물 벽이 서로 무너지면서 부딪쳤기 때문에 공간이 생겨서 겨우 살아남은 거에요.

[해설] 남자가 아들을 끌어 올리려고 아래로 손을 뻗었어요.

[아빠] 어서 이리 나와라, 애야!

[해설] 그러자 아르망드가 뜻밖의 말을 건넸습니다.

[아르망드] 아니에요. 아빠! 다른 아이들부터 꺼내 줘요. 난 아빠가 날 꺼내 주리라는 걸 알고 있으니까요. 무슨 일이 일어나든지 아빠가 날 위해 달려 오리라는 걸 난 알아요!
(엔딩 음악)

메리 크리스마스

○ 소요시간 : 약 12분
○ 등장인물 : 해설, 메리, 할머니, 청소부 아저씨, 지영, 주정꾼

(오프닝 음악)

[해설] 여러분, 메리가 누군지 궁금하신가요? 메리는 노부부가 키우는 강아지랍니다. 평소엔 순둥 순둥, 그런 순둥이가 없지만, 나쁜 짓을 하다 딱 걸려 보세요. 영리한 강아지가 얼마나 무서운지 아시죠?

[메리] 어어? 이상한데? 저 아저씨 왜 저러지?

[해설] 메리는 요 며칠, 쓰레기를 치워가는 청소부 아저씨를 눈여겨봤죠.

[메리] 왜 쓰레기통을 안 보고 뜰 안쪽이랑 마루 밑을 훔쳐보는 걸까? 흠, 아무래도 수상해.

[해설] 청소부 아저씨가 수상한 눈빛으로 메리네 주인집 안마당을 흘금 흘금 훔쳐보는 거, 영 마음에 들지 않았어요.

[메리] 치이, 누가 모를 줄 알고! 옆눈질을 자주 하는 사람일수록 마음에 티끌이 많아. 그 정도는 벌써부터 알고 있거든!

[해설] 아, 그러고 보니 지난여름에 메리가 한 건 했죠. 책을 한 아름 안은 책장수가 찾아온 적이 있었는데요.

[메리] 어라? 책을 팔러 왔으면 책 자랑을 해야지. 장사는 안 하고 눈알만 이리저리 굴리기에 바쁜 걸?

[해설] 아니나 다를까, 그날 밤중에 그 아저씨가 담을 넘어 들어왔

습니다.

[메리] 엇? 텔레비전을 들고 나가네? 이봐! 컹컹! 낮에 왔던 책장수 맞지?

[해설] 메리는 도둑의 다리를 꽉 물어버렸어요. (사이) 헌데, 요번에도 낌새가 이상했죠. 하지만……

[메리] 음, 이상한 걸. 청소부 아저씨가 올 때가 된 거 같은데? 왜 안 오는 거지?

[해설] 청소부 아저씨가 뭔가 훔치러 올 것 같아서 밤마다 기다렸지만, 아저씨는 나타나지 않았어요. 성미가 급한 메리는 점점 더 화가 났죠. 밤잠을 번번이 설쳤으니까요. 어찌나 귀를 곤두세우고 있었던지 종잇조각이 바람을 머금고 굴러가는 소리에도 잠이 달아나 버렸을 정도였어요.

[메리] 안 되겠다. 꾀를 내야지. 낮에 청소부 아저씨가 오면 꾀어들여서 겁을 한번 크게 줘야겠어! 혼을 한번 내놓으면 시커먼 마음을 싹둑 잘라 버리겠지?

[해설] 메리는 청소부 아저씨가 쓰레기를 치우러 올 시간이 되자 일부러 자는 척하고 있었어요. 다른 때는 꼬리를 잔뜩 낮추고서 으르렁거리고 있었는데 말이죠. 마침 할아버지는 밖에 나가시고 할머니 혼자 안방에서 크리스마스 트리를 만드시느라 정신이 팔려 있었습니다.

[청소부 아저씨] (헛기침 한다.) 크음, 크음!

[메리] (조용히) 그래, 슬슬 들어오시네. 삼태기를 쓰레기통 앞에 놓고, 그렇지, 쓰레기를 퍼 담아서.

[해설] 메리는 실눈을 하고 아저씨를 보고 있었죠. 자는 것처럼 턱을 앞발 사이에다 묻은 채로요. 청소부 아저씨는 쓰레기를 한 삼태기 내놓고 오더니 사방을 두리번두리번 살피기 시작했어요.

[메리] 옳지, 걸려드는군. (속으로 웃는다.) 큼큼큼!

[해설] 청소부 아저씨가 살금살금 고양이 걸음으로 마루 밑을 기웃거리다가 뒤꼍으로 돌아들려고 할 때, 메리가 벌떡 일어났어요.

[메리] 앙!

[해설] 저런! 메리가 '앙'하고 아저씨 바지춤을 물고 늘어졌네요.

[청소부 아저씨] 아이고, 사람 살려! 사람 살려 주시오!

(우당탕, 넘어지는 소리)

[해설] 청소부 아저씨가 기겁을 해서 넘어져버렸네요.

[할머니] 아이쿠, 이게 무슨 일이야?

[해설] 안방에서 할머니가 버선발로 달려 나왔습니다.

[할머니] 메리, 놔라. 놓으란 말이야!

[청소부 아저씨] 아이고, 제발!

[해설] 하지만 메리는 놓아 주지 않았어요. 그러다 할머니한테 빗자루로 머리통을 콩콩 두들겨맞았죠.

[할머니] 놓으라고, 요 못된 녀석아! 놔라, 놔!

[메리] 깽! 깨갱!

[할머니] 옳지. 맞으니까 놓는구나. 에잉!

[청소부 아저씨] 아이고, 감사합니다.

[할머니] 응? 청소부 아저씨 아니시우?

[청소부 아저씨] 네, 네.

[할머니] 그런데 왜 쓰레기는 안 치우고 뒤꼍으로 가려고 했수?

[메리] (억울한 듯) 끼잉!

[청소부 아저씨] 그게 저, 사…… 사실은.

[할머니] 말씀해 보시우, 우리 메리는 영리해서 괜한 사람을 물진 않는다우.

[청소부 아저씨] 네, 말씀드리지요. 제가 일전에 언젠가 할머니 댁 쓰레기를 치우다가 예쁜 인형을 하나 주웠습니다. 하도 예뻐서 쓰

레기차에 버리지 않고 깨끗이 씻어서 제 딸아이한테 갖다 주었지요.

[할머니] 그래서요?

[청소부 아저씨] 그런데 그 인형은 왼쪽 다리가 빠지고 없었습니다. 할머니 댁에서도 아마 그래서 버리셨겠지요. 저희 딸아이의 소원은 바로 그 없어진 다리를 찾았으면 하는 것입니다. 마침 내일이 크리스마스잖아요. 그래서 그 인형의 다리를 좀 찾아 볼까 하고 뒤꼍으로 가려던 참이었습니다. 그 인형의 왼쪽 다리를 찾는다면 저희 딸아이한테는 가장 좋은 크리스마스 선물이 될 것 같아서……

[해설] 청소부 아저씨 눈시울이 불그레해지다 그렁그렁 물기가 고였네요.

[할머니] 에구, 그 인형은 우리 손녀가 가지고 놀던 건데, 그 앤 엄마 아빠 따라 미국에 가고 없어요. 그런 일이라면 진작 나한테 물어볼 것이지.

[해설] 메리는 마음에 짚이는 게 있었습니다.

[메리] 아, 그렇구나. 그 인형!

(음향효과, 과거로 돌아가는)

[지영] 메리야, 내가 없더라도…. 흑. (목에 울음이 걸려 말을 잇지 못한다.)

[메리] 끄응, 끙!

[해설] 지영이는 정든 메리 옆에 자기가 좋아하던 인형을 놓아주었어요. 메리는 지영이의 손바닥을 혀로 핥으면서 끙끙 울었답니다. (그림이 그려지도록 천천히) 달빛이 시든 국화 위에, 그리고 낙엽 위에 하얗게 뿌려지던 지난 어느 가을밤에 있었던 일이죠.

(짧은 음악)

[해설] 메리는 지영이가 떠나고 없는 처음 얼마 동안은 그 인형을 끔찍하게 위해줬어요. 어디선가 솜뭉치를 물어 와서는.

[메리] 자, 내가 포근포근한 솜을 구해 왔어. 너한테 잠자리를 마련해 주려고 말야. 우리 집 제일 안쪽에다가 만들어 줄게. 입구 쪽은 위험하니까.

[해설] 그런가 하면 어떤 날은 괜히 눈을 부릅뜨고는.

[메리] 음, 나 없을 때 혹시 거미 녀석이 괴롭히지 않았어? 오늘 마루 밑에 들어갔다가 거미줄이 털에 붙어서 혼났어. 거미줄은 끈적거리고 간지럽고 아주 귀찮다구. 혹여 거미가 너한테 줄이라도 치면 안 되니까, 내가 단단히 지켜줄게.

[해설] 메리는 정말 보디가드처럼 인형을 지키고 돌보았죠. 하지만 날이 갈수록 차츰 메리는 인형에게 싫증이 나고 말았어요.

[메리] 칫, 말도 할 줄 모르고, 장난도 안 받아주고, 정말 재미없어. 아무리 맛있는 음식을 갖다 줘도 먹을 줄도 모르고 말야. 흥!

[해설] 메리는 심심하거나 지영이가 보고 싶을 때마다 은근히 심통을 부리면서 인형을 골려 주었어요.

[메리] 저리 가. 에잇! 굴러라 굴러!

[해설] 이리저리 굴려도 보고 이곳저곳 '앙' 하고 물어도 보았습니다.

[메리] 앙! (사이) 엇? 다리가 살짝 빠져버렸네? 어떡하지?

[해설] 하지만 인형의 표정은 그대로였어요.

[메리] 안 아파? 아프지?

[해설] 인형은 아무 말이 없었죠. 메리는 약이 올랐어요. 인형의 표정이 바뀌지 않는 것에 말이죠. 물 위에 떠오르는 수선화 꽃잎 같은 여린 웃음, 언제나 그 가물가물한 웃음 그대로였죠.

(세찬 바람 소리)

[해설] 바람이 세차게 불던 어느 날 밤, 메리는 지영이가 너무나 보고 싶었어요.

[메리] 지영아! 보고 싶어. 너무 보고 싶어! 컹! 컹!

[해설] 메리는 짖고 또 짖었습니다. 그러다 지쳐버렸을 때 애꿎은 인형한테 화풀이를 하고 말았죠. 인형을 물어다가 글쎄, 집 밖의 바람 속에다 휙 내던져 버린 거예요. 그때 간신히 매달려 있던 인

형의 다리가 쏙 빠져버리고 말았죠.

(음향효과, 현실로 돌아오는)

[메리] 아아, 까맣게 잊고 있었는데…….

[해설] 메리는 뒤뜰로 달려갔습니다. 심술부리면서 뒤뜰에 던져버린 인형이 생각났던 거죠.

[메리] 다리가, 여기 어딘가 있을 텐데……. 킁킁!

[해설] 메리는 뒤뜰 이곳저곳을 뒤지고 다녔어요.

[메리] 아유, 코 시려. 발도 아프고.

[해설] 입부리에 허연 서릿발이 열리도록, 그리고 발가락에 빨갛게 멍이 들도록…. 그러다 (사이) 드디어 찾아냈습니다. 단감나무 아래 수북이 쌓여 있는 볏짚더미 속에서요. 메리가 인형의 다리를 찾아냈을 때는 벌써 밤이 한참이나 깊어 있었답니다.

(성당에서 울리는 성가 합창 소리, 혹은)

[사람들] 고요한 밤, 거룩한 밤, 어둠에 묻힌 밤…….

[해설] 메리는 인형의 다리를 입에 물고 대문을 나섰습니다.

[메리] 자, 출발이야. 냄새 하나로 길을 찾을 수 있다니, 정말 다행이야. 킁킁! 이쪽이다. 청소부 아저씨 냄새가 나는 걸.

[해설] 낮에 물고 놓아주지 않았던 청소부 아저씨의 바짓단 냄새가 잇몸에 남아 있어서 메리는 쉽게 길을 찾을 수 있었어요. 이제 점점 좁은 골목 안으로 들어갑니다. 비탈로 올라가서는, 이번엔 구부러져 내리막길로 다시 휘어지고요.

(경쾌한 음악과 발걸음 소리)

[해설] 메리가 드디어 산등성이에 있는 작은 판잣집 앞에 멈췄어요. 찢어진 문구멍 사이로 살며시 방안을 엿보니까.

[메리] 와, 처음 봤어! 전깃불 대신에 등잔불을 밝히고 있네? 책상은 사과 상자고 이불은 조각천을 이어 붙였어?! (사이) 응? 이불 속에 지영이 또래의 아이가 콜콜 자고 있네.

[해설] 목이 긴 아주머니는 바느질을 하고 있었고, 그 옆에는 낮에 메리가 혼내 주었던 청소부 아저씨가 성경을 읽고 있었죠.

[청소부 아저씨] 저희가 별을 보고 크게 기뻐하고 기뻐하더라.

[해설] 그때 문틈에 매달려 있는 낡은 양말이 보였어요.

[메리] 저 애가 산타 할아버지의 선물을 생각하면서 매달아 놓은 걸까?

[해설] 메리는 물고 갔던 인형의 다리를 문지방에다 조심스레 올려놓았어요. 그러고는 비탈진 골목길을 달음박질쳐 내려왔죠.

(경쾌한 음악, 달리는 소리)

[주정꾼] (우렁찬 소리로) 메리!

[메리] (놀라서) 멍!

[해설] 누군가 큰 소리로 메리를 부르네요. 그러지 않아도 가슴이 벅찰 정도로 두근두근 뛰는데…. 메리는 깜짝 놀라 멈춰 섰어요.

[주정꾼] (우렁차게) 크리스마스!

[메리] (깨달은 듯) 멍!

[주정꾼] (소리 낮춰 흥얼거리며) 징글벨 징글벨 징글징글베에엘…….

[해설] 술에 젖은 아저씨가 흥얼거리며 지나갔어요. 메리도 똑같은 소리를 내고 싶었어요.

[메리] ('메리 크리스마스'를 흉내 내며) 멍멍, 멍멍멍멍멍!

[해설] 이토록 길길이 뛰고 싶은 행복감을 메리는 처음으로 느꼈답니다. 메리 얼굴이 온통 눈물범벅이 돼버렸죠. 크리스마스 이브를 축복하듯 하늘에서 하얀 눈이 내리기 시작했습니다.

(엔딩 음악)

* 우리말에는 장음과 단음이 있습니다. 모음의 길이에 따라 같은 글자도 발음 시간이 다르고, 단어의 의미도 완전히 다릅니다. 단음을 1박 길이로 발음한다면 장음은 2박 길이로 발음하면 됩니다.

눈 (雪/겨울에 내리는 눈) : 장음
눈 (目/사물을 보는 눈): 단음
☞ "하늘을 쳐다봤더니 눈(目)에 눈(雪)이 들어갔어요."

말 (言/입으로 하는 말): 장음
말 (馬/동물의 한 종류인 말): 단음
☞ "저 신기한 말(馬)이 말(言)을 하네요."

밤 (栗/과일): 장음
밤 (夜/저녁 이후부터 해뜨기까지의 시간): 단음
☞ "이따 밤(夜)에 몰래 밤(栗)을 구워 먹읍시다."

벌 (蜂/곤충): 장음
벌 (罰/잘못해서 받는 고통): 단음
☞ "저 벌(蜂)에게 큰 벌(罰)을 내리소서."

발 (簾/가리개): 장음
발 (足/신체의 일부): 단음
☞ "구슬로 된 발(簾) 아래 보이는 조그마한 발(足)."

스텔라를 위한 모닝콜

○ 소요시간 : 약 13분
○ 등장인물 : 해설, 롭, 스텔라
○ 무대 좌석 배치 : 객석에서 볼 때 왼쪽부터 해설, 스텔라, 롭

(오프닝 음악)

[해설] 혹시 기억하고 계신가요? 여러분이 세상으로 오기 전, 저희 천사들과 이마를 맞대고 썼던 삶의 시나리오, 그 내용 생각나세요? (관객을 둘러본 뒤 한 톤 낮춰) 맞습니다. 그게 바로 모닝콜 천사 롭이 답답해하는 이유지요.

[롭] (한숨을 내쉬며) 하아, 정말 이상한 일이에요. 사람들은 태어나서 세 살 반 무렵까지 평생 웃을 웃음의 절반 정도를 몰아서 웃고, 먹고 자고, 그렇게 느긋하게- 걱정 없이 잘 지내다가 어느 순간부터 갑자기 불행해하기 시작한다니까요.

[해설] 사람들은 놀랄 만큼 건망증이 심합니다. 웃음이 사라짐과 동시에, 갑자기 기억상실증에라도 걸린 듯 앞서 계획했던 멋진 삶을 새까맣게 잊어버리고 말지요.

[롭] 맞아요. 그렇게 고심하고 또 고심해서 신중하게 완성한 대본도 다 잊어버리고요. 그 대본으로 데모 필름을 만들어서, 생생한 다큐멘터리로 영화관에서 상영까지 했던, 그 지상 최고의 삶을 말이죠. (깊은 한숨) 휴우! 저희 천사들과 같이 객석에 앉아 관람했던 그 멋진 삶을 말이죠!

[해설] 그래서 그들은 출발 전에 모닝콜 천사들과 계약을 하지요.

[스텔라] 열아홉 살 생일이 되기 이틀 전날 꼭 나를 깨워줘요. 잊어버리면 안 돼요! 나한텐 너무나 중요한 일이에요! 내가 어디서 무슨 일을 하고 있건 간에 날 흔들어 깨워 주세요. 어쩌다 내가 약속을 잊어버리더라도, 당신은 절대로 잊어버려선 안 돼요!

[해설] 그들은 두려운 겁니다. 지루하고 지난한 삶의 숲속에서 천국의 끈을 놓쳐버릴까 봐. 하루하루 살아내기에 정신이 없어, 이 소중한 약속을 잊은 채 삶을 탕진하게 될까 봐. 그래서 마지막 순간까지 저희를 돌아보며 간절하게 부탁하곤 하지요.

[스텔라] 꼭이에요! 꼭 깨워줘야 해요!

[해설] 그렇게 천사 롭에게 모닝콜을 부탁한 여자가 있었습니다. 뼛속 깊은 곳에서부터 음악을 너무도 사랑하는 영혼이었지요. 그래서 그녀는 스스로에게 꼭 어울리는 팔십칠 년간의 삶을 디자인했습니다.

[스텔라] (선언하듯 손을 올리고 과장된 목소리로) 나 스텔라는 열아홉 살 무렵부터 기타를 배우고, 스물일곱 살에는 음…, 그리 유명하진 않지만, 소수의 광팬을 거느린 천재 재즈 기타리스트가 되겠습니다. (가슴 벅찬 표정으로 환하게 웃는다.)

[해설] 그녀는 눈을 반짝이며 계약서에 사인을 하고 세상으로 내려갔습니다.

[롭] (관객을 향해 자랑스럽게) 자, 보세요. 여러분. 스텔라는 정말 끝내주는 삶을 살게 될 거예요. 게다가 사후에는 그녀의 곡들이, '스텔라'라는 이름의 클럽에서 무려 삼십 년 이상이나 연주될 거구요. 정말 영광스러운 일이죠? 이 모든 게 이미 다 예약이 되어 있다구요.

[해설] 롭은 스텔라를 위해 모닝콜을 할 날만 기다렸지요.

[롭] (혼잣말로) 정말 근질근질하군. 모닝콜 할 날이 코앞에 닥치니 더 못 견디겠어. 그나저나, 스텔라는 정말이지, 흠! 천사인 내가 봐도 너무나 근사해. 꿀색에 밤색이 뒤섞인 머리카락을 허리춤까지 찰랑거리면서 '진짜 아티스트' 특유의 짜릿한 미소로 웃는다니까!

[해설] 롭은 바로 그 모습의 절정, 계약서에 사인을 하기 전 함께 보았던 그녀의 인생 다큐멘터리를 잊을 수가 없습니다.

[롭] 아, 필름 속에서 스텔라는 불빛 가득한 무대에 올라 온몸으로 연주를 하며 머리카락 끝으로 땀방울을 튕겨내고 있었지요. 비가 퍼붓는 밤, 뉴욕의 클럽 안에서 빗소리보다 격렬한 몸짓으로 말이죠.

(경쾌하고 격렬한 음악)

[해설] 그런데 정작, 지구 위에 그 비가 퍼붓던 밤, 스텔라는 재즈 클럽이 아닌 월스트리트에 있었지요. 세상에 내려가 결국 다른 길을 걷고 있었죠.

(전화벨소리, 따르르르릉!)

[해설] 롭이 약속대로 첫 번째 전화를 걸었을 때 그녀는 열아홉 살의 로스쿨 신입생이었습니다.

[롭] 여보세요? 스텔라! 지금이 기타를 시작할 때야. 널 위한 기타는 약속대로 니 품에 쏙 안기도록 준비해 뒀어.

[해설] 그녀는 롭의 전화를 받고는 기뻐서 두 눈이 반짝였지만 금

세 고개를 가로저었습니다.

[스텔라] 기타를 치고 싶긴 하지만, 부모님이 그토록 원하시던 로스쿨에 합격했는 걸…. 친구들도 모두 부러워하는 길이야. 난 이 기회를 놓치고 싶지 않아.

[롭] (실망해서) 그래, 지상에 태어나기 전에 함께 시나리오를 쓰고 모닝콜을 계약했지만, 결정을 하는 건 언제나 너 자신이니까. (계약서를 억지로 읽는다.) 계약서 제 1조 제 1항, '모든 선택의 권한은 삶을 기획한, 삶의 주인공에게 있다.'(고개를 떨군다.)

[해설] 롭이 모닝콜을 하고 나서 이틀 후엔, 대본에 쓰여진 그대로 스텔라의 삼촌이 근사한 영국산 기타를 선물해 줍니다. 헌데 그녀는 그 기타를 장식용으로 벽에 걸어두고 말았죠.

(짧은 음악)

[해설] 롭이 두 번째 전화를 걸었을 땐 그녀가 로스쿨을 졸업하고 변호사 사무실을 개업하려고 준비 중일 때였습니다.

[스텔라] 어휴! 건물 임대해야지, 계약금 마련해야지, 게다가 남들의 시시콜콜한 참견, 어디 그뿐이야? 으아! 지긋지긋한 법적 절차까지! 진짜 골치가 지끈지끈하네.

(전화벨소리, 따르르르릉!)

[롭] 지금도 좋은 기회야! 지금 넌 예약되지 않은 길을 가려고 하니까 그렇게 골치가 아프고 힘든 거야. 당장 기타를 시작해! 그럼,

인생이 놀랄 만큼 쉽게 풀릴 거야. 니가 상상도 못 했던 도움들이 쏟아져 들어올 거라고!

[스텔라] (약간 짜증을 내며) 왜 난데없이 기타 생각이 나는 거지? 너무 힘들어서 그러나? 정신 나갔군. (자신에게 윽박지르듯) 정신 차려, 스텔라!

[해설] 스텔라는 전화를 받고 한 사흘 정도 기타를 내려 만지작거리면서 약속을 기억하려 애쓰다가 결국 다시 벽에 걸어두고 말았습니다.

[스텔라] (혼잣말로) 이제 겨우 돈을 벌 수 있게 됐는데 한가하게 기타나 만지작거리고 있다니…. (고개를 흔들며 작게 푸념하듯) 으휴, 내가 무슨 생각을 하고 있는 거지? 은행에서 빌린 대학교 등록금도 아직 다 갚지 못했잖아. 기타는, 조금 더 여유가 생기면 취미로 배울 수도 있어….

[해설] 스텔라는 잠들기 전에 멍하게 벽을 바라보곤 했습니다. 정확히는 벽에 걸린 기타를 바라본 것이죠. 그럴 때마다 롭은 놓치지 않고 모닝콜을 울렸습니다.

(전화벨소리, 따르르르릉!)

[롭] 그래, 스텔라, 널 위한 기타야! 정말 기억 안 나?

(전화벨소리, 따르르르릉!)

[롭] 꼭 깨워달라고 했었잖아, 이봐, 스텔라! 까맣게 잊었구나?!

(전화벨소리, 따르르르릉!)

[롭] 오늘이라도 시작해! 니 꿈을, 기억해!

[해설] 하지만 그녀는 매일 밤 쓴웃음으로 모닝콜 천사의 목소리를 지우고는 애써 잠을 청했습니다.

(짧은 음악)

[해설] 스텔라의 변호사 사무실은 별로 인기가 없었습니다. 불안한 마음에 정치 쪽에 발을 들이기 시작하면서 그녀는 점점 더 원래 삶의 시나리오에서 멀어져 갔지요.

[스텔라] (단호하게) 이대론 어렵겠어. 힘이 필요해. 결혼 상대를 잘 골라야겠어.

[해설] 마음먹은 대로 권세 있는 정치인의 자제와 결혼을 하게 되고, 그렇게 무난한 듯 세월이 흐르고 있었습니다. 하지만….

[롭] (혼잣말로) 아아, 저 얼굴 좀 봐. 스텔라의 얼굴이 변해버렸어. 그 매력적이고 짜릿했던 재즈 뮤지션의 미소는 다 사라져 버리고, 거북살스러운 주름이 뺨을 파먹고 있어. 저건 웃고 싶지 않은 순간에 억지로 웃어서 생긴 주름이라구!

[해설] 모닝콜을 거부하려 애쓰는 사람들 특유의 증상인 불면증도 어김없이 스텔라를 찾아왔지요.

[스텔라] (거의 울 듯이) 왜 이렇게 잠이 안 오는 거야? 아, 피곤

한데 잠은 안 오고…. 어제도 꼬박 새다시피 했는데. 아, 정말 미치겠네!

[해설] 스텔라는 걸핏하면 히스테리를 부리고 이유 없이 분노를 터트리기도 했습니다.

[스텔라] (히스테릭하게) 이게 뭐냐고! 도대체! 도대체 말야! 이해가 안 가, 이해가!

[해설] 특히, 음악을 하는 젊은 사람들을 보면 알 수 없는 증오가 끓어 올라 견딜 수가 없었습니다.

[스텔라] (힐난하듯 혼잣말로) 뭐야? 그게 음악이야? 저 아인 빈둥빈둥 허송세월을 하고 있네. 흥! 나이가 들면 뼈저리게 후회하게 될 텐데…. 쯧쯧, 에휴, 왜 저리 생각 없이 사는지 원….

[해설] 하지만 스텔라의 마음 깊은 곳에서 솟아나는 솔직한 감정은 다름 아닌 '시샘'이었습니다. 지독한 '질투'였죠.

[스텔라] (독백) 저 아인 내 삶을 훔쳐서 살고 있어! 저건 내가 계획했던, 내 삶이라구!

[해설] 세월은 그렇게 계속 흘러갔습니다.

(짧은 음악)

[해설] 그녀가 예순다섯 살이 되던 이태 전, 롭은 그녀의 심장에 마지막 모닝콜을 울렸습니다. 스텔라의 남편은 이미 세상을 떠나버

렸고, 그녀는 남편의 묘소를 찾았죠. 쓸쓸한 얼굴로 남편 묘비 앞에 백합을 바치던 순간이었어요.

[롭] (답답한 듯) 어휴, 저렇게 둔감해서야…. 좋아. 마지막 모닝콜은 아주 세게 울리는 거야! 스텔라의 심장에 조금이라도 떨림이 전해지도록, 벨소리를 최대한으로 올리고….

(커다란 전화벨소리, 따르르르릉!)

[롭] (있는 힘껏 고함을 지르며) 아직 늦지 않았어! 아직 넌 어깨에 기타를 멜 수 있잖아. 제발 기억해 봐! 너는 기타를 연주하기 위해서 이 삶을 선택했어!

[해설] 아름다운 허니 브라운의 머리카락이 하얗게 변해버린 그녀가 뭔가에 찔린 듯 움찔, 몸을 떨었습니다. 드디어 약속을 기억해 낸 거예요!

(경쾌한 음악)

[해설] 롭은 서둘러 그녀를 위한 지원팀을 배치했습니다.

[롭] 히얏호! (혼잣말로) 좋아. 서두르자! 열아홉 살의 스텔라를 위해 대기하고 있던 완벽한 상황들과는 비교도 할 수 없을 만큼 빈약한 형편이지만, 그나마 정말 다행이야. (관객을 향해) 자, 자, 다들 서둘러 주세요. 최선을 다해 봅시다. (혼잣말로) 그래. 어쨌든 마지막 용기를 낸 사람들을 위해 끝까지 최선을 다하는 게 우리 모닝콜 천사들의 의무니까.

[해설] 무려 사십육 년간이나 쌓인 먼지를 털어내고, 스텔라는 삼촌이 선물한 그 운명의 기타를 품에 안았습니다.

[롭] 와아, 빛바랜 필름 속에서 튀어나온 듯 다시 피어나는 저 짜릿한 웃음을 좀 보세요! 아, 제 가슴이 다 설레네요. 하핫!

[해설] 드디어 오늘 그녀의 첫 콘서트가 열리게 됩니다. 조그마한 바에서 열리는 조촐한 콘서트죠. 드문드문 술을 마시고 있는 손님들을 위해 연주하는 소박한 무대일 뿐이지만, 스텔라는 지금까지의 삶, 그 어느 순간보다 벅차고 행복해 보이네요. (사이) 멋진 콘서트를 마치고 나서 그녀는 어쩌면 헨리 데이비드 소로의 저 유명한 말을 들려줄지도 모릅니다. 천사의 모닝콜을 못 들은 체하는 사람들을 향해서 말이죠.

[스텔라] 지금!

[롭] 지금!

[스텔라] (롭 쪽을 보며) 지금이 아니면.

[롭] (스텔라 쪽을 보며) 지금이 아니면.

[스텔라, 롭] (객석을 향해) 다시는 버드나무 피리를.

[스텔라, 롭] (서로를 보다 객석으로 고개를 돌려) 불지 못하리.

(엔딩 음악)

1. [제이미] (깜짝 놀라) 헉! 너 왜 거기 있어?

- 놀람, 공포의 감탄사를 읽을 때 주의하세요. 만약 위 대사에서 '헉' 소리를 밖으로 뱉으신 분은, 거꾸로 공기를 들이마시면서 소리를 내보세요. 놀라면 소리를 뱉기보다 허파가 쪼그라들면서 공기를 마시게 됩니다.

2. 말 줄임을 자연스럽게 처리하려면, 상대의 말과 겹치는 말 줄임 대사에는 밑줄 친 부분처럼 가상의 말을 덧붙여 머릿속에 두세요. 대본에 써 넣어도 좋아요. 상대와 주고받는 부분은 호흡이 맞도록 수시로 연습을 많이 해보세요.

[엄마] 너만 그래? 사실은 엄마두…. (그렇게 생각했어.)
[딸] 아이참! 왜 이제 얘기해? 아까 말했으면…. (내가 거기)
[엄마] (말을 가로채며) 얘! 내가 일부러 그랬니?

3. 감정 표현에 따른 음역대와 억양을 연구해 보세요.
- 놀라움을 표현할 때는 높은 음역대의 목소리와 강한 억양을 사용하고, 감탄을 표현할 때는 낮은 음역대의 부드러운 억양을 사용하는 것이 일반적입니다.
- 기쁨, 분노, 슬픔 등 다양한 감정을 관찰하고 실제처럼 흉내 내 보세요. 우습고도 슬픈 묘한 감정도 연구해 보세요.
- 고개를 갸웃하거나 손짓을 섞어도 표현이 크게 달라진답니다.

작가의 말

　깊은 밤하늘을 수놓은 별빛처럼, 수많은 존재의 숨결과 시선이 하나 되어 반짝이는 공간 속에서, 이제 우리는 스스로의 몸을 악기처럼 울려 세상을 깨우는 낭독극이라는 여행을 마무리합니다.

　대본을 만드는 작가로서, 단순히 글을 쓰는 것을 넘어 여러분과 함께 호흡하고 소통하며 감동을 나누는 소중한 시간을 만들 수 있었던 것에 큰 기쁨을 느낍니다. 낭독극 대본 한 페이지 한 페이지에 담긴 이야기들이 여러분 마음속에 작은 파도처럼 퍼져 나가, 오랜 시간 간직될 추억이 되기를 진심으로 바랍니다.

　생활 속에서 잊고 지나가는 작은 아름다움들을 되새기고, 공감하며 위로를 얻는 것이 바로 낭독극의 매력입니다. 일상의 소음 속에서 잠시 멈춰 서서, 마음의 눈으로 세상을 바라보는 시간을 가져보세요. 낭독극 속 따뜻한 이야기들이 여러분에게 위로와 용기를 주고, 새로운 희망을 선사할 것이라고 믿습니다.

　짬짬이 극화한 낭독극용 대본들입니다. 저는 이 작품들을 통해 세상과 한 번 더 소통하며, 독자들과 함께 성장할 수 있었다고 생각합니다. 독자 여러분과 함께할 미래의 소중한 시간과 마음, 그리고 따뜻한 박수는 저에게 큰 힘이 될 것입니다. 진심으로 감사드립니다.

　앞으로도 낭독극이라는 예술 형식을 통해 여러분에게 감동과 위로를 선사할 수 있도록 노력하겠습니다. 흥미진진한 이야기와 함께, 마음을 울리는 목소리가 어우러져 더욱 풍성한 낭독극 세계를 만들어 나가겠습니다. 현재는 오롯이 자신의 이야기를 담은 대본을 준비 중이며, 추후에는 환경 문제, 고령화 문제, 문화다양성, ESG, 성인지 감수성 등 사회적 논제를 담은 낭독극을 마련하고 싶다는 소망을 지니고 있습니다.

　마지막으로, 여섯 살 때부터 무대에 올라 크리스마스 이브 파티의 첫인사를 할 수 있었던 특별한 인연에 대해 깊이 감사드립니다. 커튼 뒤의 캄캄한 어둠 속에서 기다리다가 막이 열리고 눈부신 조명이 비추면 "여러분, 안녕하세요?!" 하고 외치며 첫인사를 시작했었지요. 그 인연이 촉발한 계기 덕분에 무대와 스토리에 관심을 갖게 된 듯합니다. 여러분도 낭독극을 연습하고 다듬어서 꼭 무대에 한번 올려 보시기를 바랍니다. 여러분의 첫 번째 무대를 특히 진심으로 축복하며 응원하겠습니다.

부족한 작품을 끝까지 읽어주시고 낭독극에 활용해 주신 독자들께 심심한 감사의 뜻을 전합니다. 낭독극이 언제 어디서나 가볍게 즐길 수 있는 생활 예술로 자리매김하기를 기대하며 다시 한번 인사 올립니다. 감사합니다.

김지유 올림

* 극화에 활용한 원작 *

· 말 한마디에 담긴 행복 : 잭 캔필드, 마크 빅터 한센 저, 류시화 역,
        <마음을 열어주는 101가지 이야기> (3권), 이레, 2001, 112쪽,
        [단순한 말].
· 사람은 무엇을 기억하는가 : 위의 책 (3권), 50쪽, [사랑의 기억].
· 참나무 상자 속의 우정 : 위의 책 (3권), 36쪽, [전화 안내원]
· 잡초밭에도 꽃이 필까요 : 위의 책 (2권), 44쪽, [우린 저능아라구요]
· 기쁨의 발자국 : 위의 책 (3권), 27쪽,
        [삑삑도요새가 당신에게 기쁨을 가져다 줍니다]
· 부부지간에 웬 발렌타인데이? : 잭 캔필드, 마크 빅터 한센 저,
        류시화 역 <영혼을 위한 닭고기 수프> (1권), 59쪽,
        [발렌타인 데이에 생긴 일].
· 강아지 삽니다 : <영혼을 위한 닭고기 수프> (1권), 40쪽,
        [강아지와 소년]
· 키 작은 노인과 키 작은 소년 : 위의 책 (3권), 223쪽, [노인과 소년].
· 춤추는 사람 : 위의 책 (2권), [춤추는 사람].
· 말의 힘 : 위의 책 (2권), [말의 힘].
· 아주 특별한 접시 : 위의 책 (1권), 78쪽, [이 빠진 접시].
· 혼자뿐인 아이에게 꼭 필요한 것 : 위의 책 (1권), 167쪽,
        [소녀를 구출한 사람].
· 아이들은 이미 죽었다구요 : <영혼을 위한 닭고기 수프> (1권), 193쪽,
        [나를 좀 도와 주시겠습니까?]
· 메리 크리스마스 : 정채봉, <숨 쉬는 돌>, 제삼기획, 1988,
        [메리 크리스마스].
· 스텔라를 위한 모닝콜 : 곽세라, <모닝콜>, 북하우스, 2008,
        [지금, 지금, 지금이 아니면 다시는 버드나무 피리를
        불지 못하리.]